GOBOOKS & SITAK GROUP ©

GOBOOKS
& SITAK
GROUP©

三日月書版

三日月書版

生前調查報告
放學後特別社課 下
瀝青——著
吉茶——繪
三日月書版
輕世代 FW394

# 生前調查報告

## 放學後特別社課 下

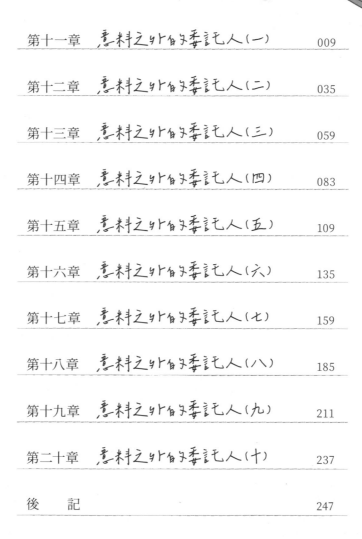

第十一章

# 意料之外的委託人（一）

週三下午是上耘高中的社課時間，對於對這活動向來興趣缺缺的米粟來說，本來挑選了可以很輕鬆應付的社團，卻因為指導老師更換，就此成為感覺最漫長的一天。

「你現在能來校門口一趟嗎？」

上午最後一堂課剛結束，吳梓弄便傳來訊息問道。

米粟原本正準備迎接午休，愉悅的心情瞬間消失殆盡，忍不住回：

「你為什麼這時候可以來學校啊？社課明明是下午不是嗎？」

「完全可以想像你現在很厭惡的臉。不管啦，先給我來校門口一趟！」吳梓弄強硬的態度讓米粟完全沒有拒絕的餘地。

「好啦，等我幾分鐘。」

米粟送出訊息後，還是乖乖起身往校門口走去。

校門外有不少外送員，還有幾名家長，是午餐時間常見的風景。米粟總算在人群中找到還戴著安全帽與口罩，跨坐在打檔車上等待的吳梓弄。

「動作快點。」吳梓弄一看到他，立刻拿下安全帽喊道。

「做什麼？」米粟垂著肩膀有氣無力地反問，正覺得外頭陽光有點刺眼，不過氣溫合宜很是舒服。

「來送午餐。」吳梓弄舉起一個豪華五層鐵盒便當給他看。

「我又沒跟你們訂午餐外送……」米粟的臉比剛才更苦了，光看這個陣仗就覺得內容物一定很驚人，頓時萌生拒收的念頭。

「我爸媽說不能讓你挨餓，以後每週三都會讓我送便當來。」吳梓弄將便當塞到他的手中後，馬上發動機車準備離開。

「你真的只是來送便當啊？」米粟見他颯爽地準備離開，相當意外。

「當然，我下午才有課，還有空閒時間要去打個遊戲再來。對了，七十四號有進度了，晚點把訪談結果整理好給你。」吳梓弄將全罩式安全帽調整好，催動引擎離去。

米粟帶著幾分困擾目送他離開。至於他手中的豪華五層便當一拿回教室，果不其然立刻招來同學們側目。

更有其他同學撞見剛才吳梓弄與他交談的情景，忍不住上前來探問。

一名男同學拎著訂購的外送午餐來到他身邊問道：「宋形米，你跟吳老師很熟喔？常看到你跟他說話，今天還送便當給你，是親戚嗎？」

「只是剛好一起住而已。」米栗斟酌一下，簡單對這位交情不深的男同學說明。

「所以是？」男同學又追問，顯然沒得到答案不打算結束話題。

「我們沒有血緣關係。」米栗困擾地說，停頓一會看著同學皺眉的樣子，只好進一步解釋：「我住在他們家的出租套房，之前不知道他是我們的社團老師。」

「喔——難怪，經常看到他騎機車載你，還以為是你哥。」男同學豁然開朗後就沒再糾結，倒是米栗很介意他的說法。

「他不是我哥，我們沒有任何血緣關係，連遠親都談不上。」

米栗邊說邊打開便當，第一層放有兩隻雞腿，下面兩層則是分別裝了四樣配菜，第四層是蛋花湯，第五層塞滿了白飯。

這一看就吃不完，他望著那過量的午餐皺眉，下午還有社課，米栗可以預料吳梓弄會檢查便當盒。

「哇，也太豐盛了！這樣還說沒有關係，根本親哥哥吧？」男同學看著那兩隻油亮亮的雞腿忍不住舔舔唇。

「不是啦……好吧，乍看之下滿像的。」米粟不想再深究這個沒完沒了的話題，捧起便當盒對男同學說：「要不要吃？這麼多我吃不完，分一些去吧。」男同學欣然接受他的邀請，這頓起碼三人份的便當，在數名同學的熱心幫助下順利清空。

直到社課結束，吳梓弄依循慣例要接送米粟回家時開口：「我要檢查便當盒，看你有沒有乖乖吃飯。」

米粟對自己精準的預測感到無奈，舉起便當盒交給吳梓弄，站到機車旁等他檢查完。吳梓弄把每層都看過一遍，才示意他上車。

「好啦！你一定有分給同學吃吧？吃得這麼乾淨反而可疑。自己有吃飽吧？」吳梓弄看米粟慢慢跨上後座，低聲問道。

「是有分一些給同學，自己留了一小份。」米粟沒有打算遮掩，坦然回道。

「有吃就好，別餓肚子了。今天不用訪談，就回你房間整理七十四號的資料吧。」吳梓弄順手輕拍他抓住自己衣擺的手，確認安全無虞後才轉動手把出發。

米粟已經很習慣每週三的這般模式，但今天卻特別仔細盯著吳梓弄的背影，想起中午那位男同學說，吳梓弄根本像是親哥哥。

他出神地想著，如果哥哥還活著的話，會像吳梓弄這樣嗎？

這個問題在經過兩個路口後還是沒有解答，米栗不太有把握哥哥是否會對他這麼親暱，畢竟他們兄弟個性很像，常常被說過於冷淡。

米栗在這一刻才意識到，自從搬來這裡住之後，好像真的多了個哥哥照顧自己，只是有點囉唆有點煩，但是他並不討厭就是。

他們抵達家家飯館時，一樓已經開始營業，整個店面周圍瀰漫著一股迷人的食物香氣。

米栗瞥見今天有他特別喜歡的炸花枝丸，想了想問道：「梓弄哥，可以要求晚餐給我幾顆花枝丸嗎？」

吳梓弄將安全帽放好，一臉意外地望著他說：「喔唷？真難得，今天居然點菜。」

「因為我很喜歡吃那個花枝……」米栗被盯得很不自在，別開視線小聲說道。

「好，知道了，晚餐會幫你多留一些。今天有個阿姨請假，我得快點去支援，晚點見囉。」吳梓弄玩鬧似地伸手將米栗的頭髮揉亂之後，就快步往店裡走去。

落單的米栗一臉無奈地伸手整理頭髮，看著對方遠去的身影，忍不住勾起連自己都沒察覺的淺笑，「還真的有點像親哥哥呢……」

米栗拎起書包慢條斯理地上樓，當抵達自己的房間望著那張單人床，以及周圍滿滿生前調查的資料時，有股很久沒出現的惆悵感油然而生，「怎麼搞的，今天特別想哥哥呢，觸景真的會傷情啊……」

晚上七點半，過了尖峰時段的家家飯館人潮明顯減少，只有吳爸爸、吳媽媽也能應付得來，因此提早放吳梓弄送晚餐給米栗。

米栗看到用大碗裝滿堆高的炸花枝丸不禁傻眼，本來正在整理案七十四號訪談資料的手也不得不停下。

「梓弄哥，你們今天炸花枝丸滯銷嗎？」米栗緩緩蓋上筆電，看著對方逐一拿出便當盒還有兩瓶飲料，擺好要一起吃的兩人份晚餐。

「沒有啊，賣得超好，今天炸物特別暢銷。」吳梓弄快速拿起筷子咬下一大口，緩過飢餓感後發現米粟舉著筷子動也不動，「怎麼啦？不吃嗎？」

「要吃，但這堆得跟山一樣的花枝丸是怎麼回事？」食量本來就不大的米粟，光看這堆就飽了，眉頭不禁皺得更緊。

「你難得點菜，我爸又是出了名的佛心老闆，所以特地幫你炸一份獨享餐。他非常開心你點菜呢，盡量吃啊！」吳梓弄說罷夾起一塊滷豆乾吃下，雖然是吃了好多年的口味，他總是吃不膩。

「不需要這樣吧？給個兩、三顆就夠了啊……」米粟連忙數了數，起碼有三十幾顆花枝丸，幾乎是他兩年份的額度了。

「我爸就覺得要讓你吃多點，我也猜你一定吃不完，會幫你吃啦！」吳梓弄催促著他快動手。

米粟雖然無奈還是與吳梓弄一起吃晚餐，期間話題都圍繞在案七十四號上。

「葉先生的交友範圍就是他住的那條街，訪談內容都是他做人很熱心、對小孩很親切，就是愛喝酒這件事比較讓人困擾。該查的都已經查完，明天可以正式結案，我也已經通知生前調查室群組的大家了。」

吳梓弄聞言立刻拿起手機，一邊嚼著晚餐單手點開社團頁面，恰好看見其中一名成員剛留下訊息。

特價五折：「接下來可以進行案七十五號了？今天先討論一些？」

吳梓弄連忙拿著手機給米栗看，「如何？要照他說的直接往下進行嗎？」

米栗盯著訊息思考一會，才拿起手機回覆。

**米栗：「也好，反正資料都已經放上去了，今天有空的人就接著討論吧！我正在吃晚餐，會回覆得比較慢。」**

在線上的人紛紛回應後，很快就著手開始討論。本來一直在潛水的蘇臨右卻突然傳了私訊給米栗。

**蘇臨右：「怎麼現在才吃晚餐？也太晚了吧！之前聽你說房東在一樓開自助餐，你直接跟他們訂餐就是要三餐正常啊。」**

米栗看著這來勢洶洶的訊息頓時感到頭痛。有個愛管他的吳梓弄就算了，現在又來個上耘高中前任學生會長，讓他有點消化不良。

吳梓弄不知道發生什麼事，只見米栗一直盯著手機皺眉，忍不住說道：「先吃飯吧，先填飽肚子再說。」

米栗看吳梓弄一眼，被這麼雙重夾擊都感到精神疲勞了。他速度飛快地按著手機鍵盤，「回完這則訊息馬上就吃。」

「我正在跟房東的兒子一起吃飯，便當都是他在送，我們也養成一起吃飯的習慣，這時間還好啦。」

米栗送出訊息後，有那麼一瞬間思考停頓了幾秒。他突然意識到自己居然可以這麼自然地接受跟別人一起吃飯，數個月之前的他可不是這麼主動的人。

「回完訊息就快吃飯！別一直看著手機發呆。」吳梓弄嚼著米飯再次催促。

「再回一則就吃。」米栗回過神，恰好看見蘇臨右回傳訊息。

走路靠右：「好吧，至少有人盯著你吃，不過三餐時間還是準時點比較好。我還有其他事，今天討論晚點再補，先掰。」

米栗：「好，學長掰。」

米栗總算放下手機享用晚餐。看著依然沒減少的花枝丸，原本的震驚也轉為有趣，笑著道：「根本吃不完，明天當早餐算了。」

吳梓弄看他一眼，「你最近真的不太一樣，像是你這個年紀該有的樣子。」

「怎麼突然說這個？」米栗面露不解地問道。

「我只是覺得你好像找回靈魂了。剛搬來的時候感覺很是失魂落魄，最近有好一點了，繼續保持啊。」吳梓弄笑道，同時夾起一顆花枝丸往嘴裡放。

「才沒你說得那麼嚴重……」米粟有些彆扭地低語。低頭發現生前調查室群組的留言數不斷增加，實在太好奇又忍不住點開查看。

群組內的伙伴們正如火如荼討論案七十五號。七十五號是上耘高中三年級學姊的委託，調查對象是她的生父。對方直到三年前才與學姊見面相認，事隔兩年半左右便因病離世。

之所以一直採用「生父」稱呼，是因為學姊的母親在她三歲時又再婚，現在的繼父才是名義上的監護人。他們一家相處融洽，從不曾由於沒有血緣關係而產生隔閡。生父不曾參與學姊的人生，但卻因緣際會下認識學姊的繼父。

繼父的職業是建材公司業務，在三年前一次建案合作，與負責建造的生父以客戶與廠商關係搭上線。他們在一次應酬聚餐聊到彼此的家庭，才曉得竟有這層關係。

根據學姊描述，當下家裡其實發生了一場小小風暴。當初媽媽與生父是有第三者介入才離婚，因此媽媽依然相當痛恨前夫，事隔多年雖然有淡忘，但依然沒有原諒的餘地。加上生父得知真相後，就頻頻提出想見親生女兒一面。

為此他們一家爭執長達半個月，最後各自退讓一步，讓學姊與生父見面吃頓飯。雖然起初關係疏遠談不上親近，但還算和諧。父女見面的頻率不高，不過每次見面生父總會關心她的近況並給一點零用錢。

學姊並沒有深入了解生父的婚姻狀況，直到半年前繼父接到連絡，得知生父因病住院三個月後離世，才曉得生父離婚之後沒有再婚，期間有交過幾個對象，但都是分手收場。

生父過世並沒有影響到她的生活，只從繼父口中得知，生父最後一刻只有弟弟陪伴，一直都是獨居狀態，身邊似乎很久沒有新的感情，當初的外遇對象也早已經沒有連繫。

「對於幾乎是陌生人的生父，學姊為何突然想委託生前調查呢？」這是米粟首次在校內與對方單獨見面訪談時的第一個提問。

學姊帶著親切的笑容說：「我只是從繼父那裡聽到一些他們還不知道彼此身分時往來的情形，生父似乎是個很有趣的人，而且繼父當時在工作上其實碰到一些困難，受到生父很多幫助，甚至因此拿下大案子。」

「不過心情還是很複雜，畢竟很難原諒他當年外遇，加上離婚後就沒有往來，我們人生幾乎毫無交集。也因此忍不住很好奇從我三歲直到他過世為止，大概十四年的時間他到底都在做什麼。剛好又透過蘇臨右學長知道了校內有這個祕密社團。」

米粟不禁露出為難的苦笑，從學姊閃閃發光的眼神裡，可以猜測蘇臨右大概過分誇大生前調查室了，「也不能說是祕密社團啦，畢竟就是討論跟調查一些事情，就當作是個普通的群組就好。」

「但你們這樣好像偵探，好有趣！祕密社團聽起來也很猛。」

米粟試圖解釋生前調查室很普通，學姊雖然點頭表示理解，但閃閃發光的眼神從沒褪去。米粟只能無奈地決定放棄勸說，專心執行這次的委託。

這次的編號是第七十五號。學姊跟繼父姓劉，調查對象的生父姓邱，被調查室成員們暱稱為邱哥。據說是劉學姊的繼父都這麼稱呼他，因此被生前調查室沿用。

七十五號有趣的地方在於，經過米粟事前調查人際關係後發現，雖然邱哥在過世前三個月孤伶伶地治療，但在這之前的情史相當豐富。

根據學姊的繼父回憶，工作往來那幾年其實聽過幾回邱哥下班後有約會，或是跟交往對象出去旅行的事。

更耐人尋味的是，米粟目前安排好訪談的邱哥曾經交往對象，共有三女兩男，平均年紀在二十五歲到五十歲之間。

劉學姊第一時間得知生父交往對象有男有女時，面露意外大笑說道：「不知為何我覺得很有他的風格。明明是我生父卻很陌生，所以才想知道他的過去。」

調查室群組更是熱鬧，自從接受委託以來，邱哥很可能是空前絕後以情史為主的調查對象。或許是這個原因，整個群組裡瀰漫著難得的粉紅色愉快氣氛。

木可可：「七十五號的邱哥，讓我覺得婚姻制度對他來說或許比較辛苦。」

阿團：「我正在思考要用什麼心情面對這次委託。我對於這種感情關係比較複雜的人，很難用正面態度接受，尤其他還因為外遇導致離婚……」

長頸鹿：「客觀看待就好了吧？反正就是個生前調查，不要帶太多私情比較好。」

初一吃素：「我覺得阿鹿說得有道理。不過米粟你安排好訪談順序了嗎？」

米粟：「已經連絡好了，五人約定的時間都不同，預計一週內就可以完成。」

無糖臺南人：「這麼說來，這次可能會很快就結案吧？」

白星：「很難講，臺南人你說話小心點。之前四十五號就是這種情形，感覺沒什麼難度，結果成了最困難的調查對象。」

阿團：「對啊，別隨便立旗才好。」

木可可：「米粟，你訪談的第一位對象是誰？」

米粟：「據說過世前四個月和平分手的前男友。」

無糖臺南人：「我有預感……」

白星：「臺南人，收回你的預感！再多說就罰你三天不能留言。」

無糖臺南人：「對不起……」

米粟看著調查室成員一邊鬥嘴一邊討論，內容實在太有趣，令他忍不住掩嘴笑出聲。

米粟先前曾提議，大家相處氣氛還算融洽，想找間不錯的餐廳線下聚餐，讓所有人都互相見面，沒想到居然遭到群起反對。

他深怕是不是說錯話，擔心影響了生前調查室的運作。不過事後了解才明白是自己多慮了，成員們拒絕是因為覺得一直保持神祕感是件很有趣的事。

長頸鹿還說，他平常在學校喜歡到處猜想每晚在群組裡討論的伙伴們到底是誰，是不是有擦肩而過呢？但也只是想想從不去探究，對帶著神祕感的關係感到非常有趣。

其他人也是相同看法，米粟便再也沒提過線下聚會的事情。

雖然生前調查室的成員們依然沒有透露真實身分，但經過長久相處，關係比一開始要融洽許多，讓唯一知道全員真實身分的米粟越來越喜歡這群伙伴。

此刻他抱持著與成員們相同的心情，不敢把話說太滿，不過也不希望訪談遇到阻礙。

在這樣的情況下，米粟帶著幾分忐忑與邱哥前男友在對方上班地點附近的咖啡廳見面。時間是晚上，吳梓弄理所當然地陪伴在側，他與米粟抱持同樣心情，對這位邱哥的前男友有些好奇。

對方叫做戴匀領，今年三十五歲，是朝九晚五的電子業品管部經理。他與從事建築業，整日在工地遊走的邱哥不但職業截然不同，連年紀也有不小差距，邱哥比他整整大了十多歲。

米粟之前已經研究過資料，真正見到戴勻領時，只覺得對方是個乾淨帥氣的菁英，顯然與邱哥的生活圈完全不同，不禁很好奇這兩人認識的過程。

然而隨行的吳梓弄更在意戴勻領從進咖啡廳起便帶著不悅的神情。簡短地互相自我介紹後，他的怒氣似乎比剛才又更重了些。

這個男人到底在生什麼氣？

吳梓弄很想問問這件事，又怕破壞訪談，只能努力壓下好奇心讓米粟主導，自己則是安靜地記錄。

「戴先生你好。之前在通話中提過邱哥已經在半年前過世，但從你的反應看來，似乎是被我們知會才知道？」米粟用詞相當小心地問道。

「我們分手之後就刪除彼此的連繫方式，完全沒有連絡。分手就是從情人變成陌生人，沒被通知是正常的事。」戴勻領的口吻優雅，但不知為何卻雙手握拳壓抑著憤怒。

米粟看著他握緊的拳頭問道：「方便說說你們分手的原因嗎？」

戴匀領看了他一眼，喝下一口剛送上桌的焦糖瑪奇朵才說：「他說不想談戀愛了，想結束這段感情，建議我該趁年輕去認識其他對象。」

戴匀領說完後，原本掩飾的怒氣完全爆發，戳起一塊香蕉磅蛋糕用力咬幾口後才繼續說：

「我那時候以為他又遇到新歡。這傢伙最缺的就是愛情，所以總是接連不斷談戀愛。我從一開始跟他交往，就抱持著隨時會分開的態度，所以分手其實雙方都很爽快。」

「我從他女兒繼父那裡聽說他是個爽快海派的人，對你也是這樣？」米栗又問道，努力露出微笑想取得對方信任。

「他是很爽快啊，就算我收入不低甚至養他也沒問題，出門約會還是都他出錢。他其實有點大男人主義，很在乎長幼有序，我年紀小很多，跟他交往期間有時候覺得他比我爸還要囉唆。可是他又會把我的建議跟抱怨都聽進去，無懈可擊沒什麼缺點，跟他談戀愛的時候其實很快樂。」

「聽起來他唯一一次婚內出軌是人生最大的缺點。」米栗毫不避諱地提起，戴匀領聳聳肩露出苦笑。米栗見到他的反應好奇問：「你知道這件事？」。

「知道啊，他只要喝醉就會不斷提這件事，不過我不太確定他有沒有感到愧疚。他總說自己不適合結婚，不適合被束縛，唯一一次婚姻讓人家傷透心，所以決定只談戀愛不結婚，可是又對女兒很自豪，常說她很漂亮，過得很幸福。如果其他人聽到應該會覺得他很渣，我一開始也覺得……但他的優點更多，這個世上真的有讓人又愛又恨的存在呢。」

戴勻領說罷，原本緊握的拳頭又放鬆了，同時帶著哀傷的情緒發出嘆息。

「你們交往多久？」米粟仔細看著他的表情問道。

「五年，我在滿三十歲那天的生日派對上認識他。他本來是我朋友的客戶，因為我有親戚要改建房子所以找他幫忙，交涉過程很順暢還被親戚誇獎，就邀請他一起參加派對當作是道謝。」

戴勻領說到這裡，嘴角浮現出與剛才不同的微笑，顯然對他來說這是很美好的回憶。

米粟眨眨眼，翻了翻資料才說：「你應該是目前所知跟邱哥交往最久的人。」

「他說過。每年我生日就是交往紀念日，他會喝醉後不斷跟我說『從沒談過這麼久的戀愛很開心』，然後——突然就說要分手。距離慶祝交往滿五年的那天才過一個月，那時候我還想他應該已經膩了，所以沒有多想，斷得乾乾淨淨不去深究對雙方都好。現在，更正，三天前接到你的電話說他已經過世，真的是……」

戴勻領說到這裡，原本開心的情緒再次消失殆盡，雙手握拳相當憤怒。

「真的是什麼……？」米栗不禁俯身問道，吳梓弄也跟著做出一樣的動作等著回答。

「他跟我提分手，就是因為生病了！在那之前我們幾乎天天見面，他那時候狀況還不錯，只是常說身體哪裡不對勁，可是看起來又很正常——」戴勻領安靜一會，原本握緊的拳頭鬆開些許，「他過世前這段時間是不是沒有任何戀愛對象？」

米栗輕輕頷首說道：「是的，一個人住院，最後陪伴的人是弟弟。」

戴勻領低聲問他們：「你們有沒有覺得他這樣是在耍帥？」

「耍帥？」米栗歪著頭，無法理解。

「自己狀況不好瞞著不講，覺得好像是為大家好，但我覺得超不爽，又不是不愛了才分手，還等好幾個月後才知道他已經死了。也不考慮活著的人怎麼想，就算多讓我陪伴他一秒的時間也好，臨死還想耍帥。真的很像他，但也真的是……真的是……」

戴勻領咬牙罵了聲髒話才說：「越想越氣！」

對於戴勻領越來越氣憤的口吻，米粟只是淺笑與輕輕拍他的手作為安撫。

這場訪談收穫不少，雖然戴勻領有大半時間都在抱怨對方在人生最後一刻選擇自己度過，但從言談中可以知道，這五年交往期間是甜美多過苦澀。

他也對於邱哥的過往下了一個自己的解釋。

「他是個天生只適合談戀愛的人。雖然沒明講，可是我從旁邊觀察知道他對那段婚姻很後悔。他離婚後從來沒有劈腿，一定切得乾乾淨淨才有下一段。你看跟我分手後就完全斷絕連絡，他的原則大概是再也不想傷害任何人。」

戴勻領說完後，露出米粟很熟悉的寂寞表情。

「就算不說，他的舉動還是可以看到一些跡象，只是要不要原諒就要看當事人的想法了。」米粟有感而發幫忙註解。

戴勻領深深地嘆了口氣說道：「我認同你，還有你可以註解我到現在還是很喜歡他。」

「好，我會特別備註。」米栗笑了笑，在筆記本上寫下這句話。

訪談結束後，吳梓弄騎車回家的路上，兩人安靜地望著前方的交通號誌。吳梓弄看著紅燈轉為綠燈時突然說道：「我覺得分手後還能讓對方對自己保持好感，其實是很厲害的事。」

「邱哥大概是我接受委託以來，戀愛故事最精彩的一位吧。下一個訪談是明晚七點，你要跟嗎？」米栗勾起微笑問道。

「這麼快啊，以為至少會空兩天。」吳梓弄訝異道，接著爽快地說：「當然跟啊！」

「逐一連絡這些訪談對象時，每個人的反應都很一致，不知道邱哥過世，對於他評價都不錯，而且願意接受訪談。不過我認為，他們更想從我這裡知道邱哥過世的細節。」

米栗笑了笑，相當愜意。這是他承接過最多戀愛粉紅泡泡的委託，也是唯一一覺得快樂多於惋惜的一次。

「而且我覺得與其說是邱哥的生前調查，倒不如說是看一個人生前的戀愛歷程。接下來全都是交往對象，沒有家人？」吳梓弄這時轉了個彎，距離家家飯館越來越近了。

「他的親人只剩下弟弟還有劉學姊，這兩位家人在前陣子已經做過初步調查，幾乎沒有需要特別記錄的事情，反而交往對象有一堆故事可以說。」

「真是個有趣又特別的人……」吳梓弄不好說太多對於邱哥的評價，畢竟他自認是個專情的人，所以其實有那麼點不能接受。但他抱持著尊重，盡量不多做負面評論。

「你想說他花心吧？」米粟靠近他笑問。

「我可沒說，你尊重一下邱哥啦！」吳梓弄搖搖手緊張地說道。

「又沒關係，我沒限制大家不能發表自己的感想，只是不能記錄進去。」米粟聳聳肩說道。

這天的訪談以及群組討論還算順利，就在米粟向大家道晚安準備睡覺時，卻意外接到戴勻領的來電。

他看了一下時間，已經將近深夜十二點，不尋常的狀況讓他有些不安，「戴先生晚安，怎麼了嗎？」

「抱歉這麼晚還打電話給你。我有朋友想委託生前調查，你方便接嗎？」

「可以啊，不過要看委託對象的情況。」

「太好了！你稍等我一下，他人就在旁邊，請他親自跟你說。」

米粟聽到手機被轉移的聲音，緊接著是一道略微低沉的男性嗓音傳進耳裡。

「你好，我剛剛聽阿戴提起你在做生前調查的工作，我很感興趣，想請你調查一個人。」

「請問你貴姓，怎麼稱呼？」米粟肩膀夾著手機，連忙找出筆記本抄寫。

「我姓羅，四維羅，羅勳丞。」

「羅先生你好，方便先給我調查對象的名字跟年紀嗎？還有需要提供連繫方式，我再安排時間跟你詳談。」

「我想查一位叫『李彤泉』的人，大約在三年前過世，當時十九歲。」

米粟聽到這個名字時，有一瞬間腦袋是空白的。由於沉默太久，羅勳丞感到困惑，一連喊了幾次才讓米粟回神。

「喂？你有聽見我的聲音嗎？」

「啊，抱歉，我只是……在確認一些事情。羅先生，冒昧請問李彤泉是不是改過姓？以前姓宋？」

「你認識他？」

「……是啊。」

米栗回答得有點恍惚，一時之間卻無法對羅勳丞解釋更多，只跟對方約好時間，草草結束通話。

# 第十二章

## 意料之外的委託人（二）

吳梓弄在訪談過程中發現米粟明顯精神不太好。

這週六邱哥的歷任男女朋友訪談即將進入尾聲，最後一名是九年前交往過的女性，叫做莊明可，現在已是個兩個孩子的媽，這次訪談還有她丈夫跟隨。

起初吳梓弄和米粟有點戰戰兢兢，畢竟訪談內容是關於前男友的回憶，丈夫坐在旁邊聆聽很是讓人感到不安。

然而訪談進行二十分鐘後，情況遠遠超出兩人的預料。莊明可的丈夫對於邱哥相當感興趣，彷彿在聽一個有趣的故事。莊明可對邱哥的評價也不算差，但對於他的生活習慣有不少怨言，不喜歡做家務似乎是分手的主因。

米粟回想先前的記錄，幾乎每位都有提到邱哥過於大而化之的生活方式，而且或多或少都有怨言。

「邱哥真的不適合結婚，跟他交往大概半年，最後一個月每天都在吵架。他總是把朋友放在首位，記得分手前一週我重感冒，發高燒難受得要命，希望他可以帶我去看醫生，結果朋友來一通電話他就出門，要我自己叫計程車去看醫生，真的是……」

莊明可說到這裡氣得臉色漲紅，她的丈夫適時地攥住她的手安撫。

「目前聽過邱哥的事蹟裡，經常有差不多的行為。」吳梓弄搖搖頭，對邱哥的看法不壞但也談不上好，甚至時時提醒自己千萬別變成這種人。

「這是他的本性，有好也有壞，但一點也不適合婚姻。我想跟他交往過的人都知道，他唯一一次婚姻就是搞外遇才離婚收場，他的命盤裡大概沒有夫妻宮只有戀愛宮吧。」莊明可說完後對著丈夫哈哈大笑，像是一吐怨氣一樣。

米粟一邊回應，一邊靜靜觀察兩人的互動，暗暗覺得這對夫妻很可愛。

莊明可笑完之後，情緒突然又低落許多，輕聲說道：「我以為這傢伙起碼會活到九十幾歲，到高齡還會在酒吧出沒跟年輕人混在一起……他的死因是什麼？」

米粟正想回答，吳梓弄已經翻到寫著答案的那一頁說道：「我們並沒有取得細節，根據委託人給的資訊，臨終三個月前開始頻繁出入醫院，最後一個月都在醫院裡度過。」

「看來是生病了啊……」莊明可露出惋惜的反應，這場訪談一如往常在幾分惆悵與可惜中結束。

吳梓弄照往常騎機車載米粟回家，在過一個路口就要抵達家家飯館時，米栗淡淡說道：「邱哥下週一可以結案，他的生前調查已經訪談完畢，只剩下集結成冊。我很喜歡這種可以順利完成，過程又很快樂的案子。」

「這次應該叫做生前戀愛調查吧，所有訪談都是他的戀愛故事，有夠精彩。」吳梓弄忍不住哈哈大笑，米栗也跟著輕笑出聲。

兩人看似氣氛愉快，但吳梓弄沒忘記從一早碰面起就一直掛心的事情。

「你這幾天是不是遇到什麼事？從實招來。」吳梓弄的口吻很強硬。

米栗撫摸自己的臉，覺得應該藏得很好才對，「你怎麼知道？」

「你的表情不對勁，雖然平常也都在放空，但今天完全是心不在焉。前幾天我以為你只是精神不好，但剛剛確定你有心事。」吳梓弄熟練地拐彎後，直行抵達家家飯館的後門。

米栗下車後，將交安全帽還給吳梓弄時露出為難的笑意。吳梓弄則安靜地望著他，眼神示意在等他坦白。

「之前戴勻領轉介了一位委託人……」米栗在對方緊盯之下視線飄移，露出鮮少表露的不知所措。

「是讓你很困擾的委託嗎？如果不想接可以推掉吧？」吳梓弄停好車子，轉身問道。

「我沒推掉，推不掉。」米栗舔舔唇苦惱地說，焦慮與不安全寫在臉上。

「為什麼推不掉？還是我出面幫你拒絕？」吳梓弄眉頭深鎖，見米栗的模樣難掩憂心。

「不行。」米栗連忙打斷，猶豫幾秒後才說道：「這次委託調查的對象是我哥哥。」

吳梓弄聞言瞬間呆滯，這下他總算知道米栗一直心不在焉的原因。也難怪米栗會有這種反應，他的哥哥不就是整個生前調查室的起點嗎。

吳梓弄大概是顧及米栗的心情，一回到米栗的房間就張羅好桌子、擺好飲料零食，就連慣用的筆電都擺整齊。

米栗在後頭頻頻想插手卻一直找不到機會，就這樣站在房門口看著。

「好了，坐吧。」吳梓弄已經挑好位置坐下，等著他歸位。

「謝、謝謝。」米栗拖著緩慢的腳步坐在他對面，拿出今天的訪談筆記準備結案。

吳梓弄很清楚米栗在拖延，他很有耐心地等著，這段期間還幫忙整理訪談得來的生前記錄，不禁心想幸虧還有其他工作可以打發時間。

邱哥的生前記錄幾乎有九成都是戀愛回憶，從離婚後到最後一任的戴勻領，十多年間不斷反覆談戀愛與分手。前天有任女友在訪談時說，最深刻的回憶是「邱哥很帥」，就算已經中年還是很有魅力，體格也很優秀，完全不像年過半百的男人。

「生前調查有很多訪談機會就是這樣來的呢，一個人連接到另一個人，每個人都有與死者生前的回憶，現在突然覺得你成立的這個祕密社團實在很有趣。」

當整理到戴勻領的訪談記錄時，吳梓弄想起米栗剛才的說詞，覺得世界很小，突然有感而發地說道。

「其實也沒那麼祕密，只是人數不多，加上不想引來奇怪的質疑所以低調進行。」米栗拿起吳梓弄請客的微糖冰紅茶，喝下幾口潤潤喉，深呼吸後才開口：「委託人是位叫羅勳丞的男人，他是戴勻領的朋友，說是聽說我在做生前調查，想委託調查他過世的丈夫……」

「丈夫？」吳梓弄露出不解的神情，沒有意會米栗的意思。

「對方已經結婚，是同性婚姻，他的丈夫叫做李彤泉。」

米栗還沒說完，就被吳梓弄打斷，「哪個彤，哪個泉？」

「跟我一樣的彤，泉水的泉。怎麼了嗎？」這下換米栗覺得吳梓弄的反應很奇怪。

「他今年，我是說李彤泉，如果還活著應該是二十二歲吧？」

「你怎麼知道？」

吳梓弄露出複雜的神情，許久才說：「他是我以前高中社團的學長。不過這世上竟然有這麼巧的事！彤泉學長是你哥？可是你們姓氏不同？」

面對一連串疑問，米栗低聲說道：「我哥哥從母姓，我們家的成員結構有點複雜……」

「這就難怪，我知道他有個弟弟，但你們姓氏根本不同，完全沒有聯想到。」吳梓弄恍然大悟點點頭，就這樣和米栗對視一會才說：「等等，你剛剛還說委託人稱學長是丈夫？我怎麼沒聽說他已經結婚，然後……是同性戀？」

吳梓弄不斷地拋出問題，米栗一個也無法回答，只能呆愣地望著他。

「看你的反應，你也不知道形泉學長出櫃還已婚吧？」吳梓弄從米栗的眼神裡只看到感到陌生的神色。

「我們只有小時候比較熟悉。剛剛也講了，我們家的狀況有點複雜，才會變成他從母姓，我從父姓。」米栗不想看吳梓弄那抹既同情又不解的眼神，低著頭輕聲回答。

「如果你現在不想說也沒關係。」吳梓弄也察覺他想逃避的心思，抿著嘴思忖幾秒才提醒：「但是你既然已經接下羅勳丞的委託，就必須面對這件事，要做好心理準備喔……」

「我知道，我會調適好心情。」米栗終於願意抬起頭，看到吳梓弄那抹長輩般溫柔關懷的神情，還是掩不住彆扭低聲說：「梓弄哥就像平常一樣看待我就好，別用這種眼神，真令人受不了。」

「好啦。」吳梓弄連忙別開視線，他明白米栗的意思。氣氛頓時變得相當尷尬，雙方沉默一陣子後，吳梓弄再次開口緩和氣氛：「你跟對方約好見面了嗎？」

「星期三晚上七點，他家。」米栗停頓一會又補充：「據說是跟我哥同住的地方。」

吳梓弄看著米栗略微失落的眼神，輕聲問道：「那個……應該不是我的錯覺，你在吃醋？」

「我才沒有，為什麼要吃醋？」米栗迅速否認，卻換來吳梓弄低頭止不住笑。

吳梓弄很想回他「你這反應就是有」，但又覺得米栗現在不適合被開玩笑，只好忍下來。

「你在笑什麼？我有說錯什麼嗎？」米栗有那麼點不開心與困惑，看著吳梓弄停住笑意，俯身又問：「為什麼突然這麼說？」

「沒有，是我的錯覺，你專心處理這件委託啦！他編號多少？」吳梓弄很快把話題轉開，米栗擺明想追究，不過還是順著他的提問很快進入狀況。

「零零號。」米栗沉思一會，將藏在硬碟深處的某個資料夾拉到群組共用的雲端裡。這是他們最近新整理出來的共用空間，還是吳梓弄趁空幫忙搞定的。

吳梓弄覺得隨著委託增加，會需要更大的空間整頓資料。經過一個多月的努力，他將至今所有的生前記錄資料分門別類，整理歸納得很清楚，甚至還建立了接受過訪談相關人士的通訊錄，案件與人物關係都一目了然。

蘇臨右還因此忍不住私下問米栗，這個「便當店王子」到底是何方神聖。

米栗光是想到萬一吳梓弄與蘇臨右同時出現在面前，就會是雙倍嘮叨的慘狀，為了避免麻煩便含糊地用「認識的學長，還滿厲害的，但本人很低調不方便說太多」帶過。

他得讓這兩人繼續王不見王才行，絕對不能讓這兩個擺明會聯合起來監督他生活的人碰面。

「案零零號？起點中的起點啊。」吳梓弄看著雲端裡出現的資料夾不禁笑道。

米栗則盯著尚未存放任何東西的檔案圖示發了一會呆。

「我一開始就把這個編號給哥哥了，想著總有一天要調查他的生前記錄。本來以為會是很久以後的事，沒想到這麼快。」

下個步驟就是通知群組內的人。以往米栗不會猶豫，總是很快就能簡單說明委託對象的基本資料，但這次卻反常地反覆打了好幾次文句，才將訊息送出。

吳梓弄全看在眼裡，一方面覺得原來米粟也有這麼不冷靜的時候，一方面擔憂這次的訪談不知會如何。畢竟他也認識米粟好一陣子了，雖然米粟沒有多說，但按照過往的對話拼湊起來，可以猜測原生家庭應該相當複雜。

「慢慢來，先吃點餅乾吧。」吳梓弄將一盒餅乾推向他說道。

「好。」米粟抓起餅乾慢慢咬著，確實靠著咀嚼轉換了心情，在十分鐘之後終於送出通知訊息。

「大家好，這次的新委託是案零零號，調查對象是位三年前過世的男性，也是上耘高中校友。委託人是他生前結婚的對象。備註：這是同性婚姻。」

五分鐘後才陸續有人回覆，主要都對於編號感到好奇。

無糖臺南人：「零零號？居然有這種編號？」

阿團：「讓我不禁正座面對，所以要開始進行了嗎？」

米粟：「已經先跟委託人敲定初步訪談時間，會再確定訪談名單。請大家跟平常一樣看待就好，雖然是零零號，但流程還是一樣。」

初一吃素：「方便讓我們知道為什麼是零零號嗎？」

米粟：「讓你們知道也沒關係。這次的調查對象就是我成立調查室的原因，是很親近的家人，剛才也花了點時間調適。這次應該會牽扯到我的個人隱私，我會斟酌透露一些細節，請給予建議，需要麻煩大家幫忙了。」

或許是難得看到平常不溫不火的米栗透露情緒起伏，線上所有人安靜了幾秒才回覆。

長頸鹿：「沒問題，我們照往常一樣發揮。」

白星：「沒問題，幹話也照常發揮。」

木可可：「只有白星你才這樣，其他人正常得很。」

白星：「話不是這樣說的！嗚嗚……」

無糖臺南人：「也好，讓白星當作串場娛樂，讚啦。」

米栗看著群組成員鬥嘴吵鬧不禁笑出來。吳梓弄看著聊天內容說道：「我覺得你很會挑人，這幾個人雖然互不曉得實際身分，但聊起天都很合得來。最近常常覺得幸好你有成立生前調查室。」

米栗細細品味這番話，良久淺笑說道：「一開始你還以為我在搞什麼犯罪組織，現在能被認證滿榮幸的。」

吳梓弄很是受不了地喊道：「氣氛這麼好，幹嘛吐槽呢？」

米栗還是笑個不停。群組內已經轉為輕鬆的閒聊，他突然覺得對一切沒那麼忐忑了，有這些人當他的後盾，他可以冷靜面對這次委託。

羅勳丞住在距離家家飯館約四十分鐘路程處。

雖然在同個城市裡，但區域偏北脫離生活圈，對米栗來說是相對陌生的地方。他的住處是棟住商合併的社區型電梯大樓，出入口有保全，在附近大樓裡算是屋齡較老的。

羅勳丞穿著寬鬆的米色襯衫與牛仔褲，才二十三歲看起來已經在社會歷練多年的樣子，與吳梓弄相比更成熟一些。

米栗一進門就忍不住四處張望，屋子是三房兩廳一衛浴格局，鋪有米色地磚，整體色調是暖色系，家具樣式一致，全都是木造材質，位於客廳的淺藍色沙發是最明顯的顏色。

米栗與吳梓弄被安排坐在那張三人座沙發上，羅勳丞正在廚房裡泡咖啡。

短短幾分鐘的空檔，讓米栗無法控制地開始想像哥哥在這裡生活的樣子。是哪間房間呢？這些家具都是哥哥挑的嗎？

直到羅勳丞端著三杯泡好的咖啡來到他們面前，米栗的疑問不減反增。

「謝謝你們願意來一趟。」羅勳丞將咖啡放在他們面前，態度相當客氣。

米栗捧起咖啡杯輕啜一口，吳梓弄隱約察覺他情緒不太穩定，便伸手拍拍他的膝蓋以示安撫。

「我聽阿戴提起生前調查的事情，覺得很感興趣，沒想到負責人是高中生跟大學生，以為應該更年長一點。」羅勳丞看著他們笑道。

米栗喝下幾口咖啡後才說：「很多委託人都這麼說，生前調查室其實一開始只是上耘高中的地下社團，現在則像是同好會一樣。」

「跟阿泉一樣也是上耘高中的學生呢。」羅勳丞微笑點頭，米栗這時放下咖啡杯望著他許久。羅勳丞對他緊盯的舉動感到不解，困惑地笑問：「怎麼了嗎？」

「在訪談開始之前，我得先坦白一件事情。」米栗輕咳幾聲，說這番話時還是有些緊張。羅勳丞微笑著等他往下說，吳梓弄則已經猜到他的打算。

「先前連繫時我只說過認識李彤泉，事實上我與他是同父異母的兄弟，直到今天才坦承，感覺很抱歉。」米栗說完後還向羅勳丞行禮。大概是太過緊張，他甚至緊閉著眼不停深呼吸。

羅動丞聞言安靜了一段時間，無法預測回答讓米粟與吳梓弄感到相當不安。就在吳梓弄想開口幫忙緩和氣氛時，羅動丞笑出聲說道：「怎麼會有這麼巧的事情，你就是阿泉的弟弟？」

他說完後還俯身端詳米粟的長相，表情比剛才溫和許多，甚至泛著一絲寂寞。米粟很想躲開他的注視，但又覺得不應該這麼做，就這麼坐著讓對方看個過癮。

「你其實跟他長得很像，阿泉常提起他有個很安靜貼心的弟弟，但因為家裡複雜的因素不能常見面。他總說小時候跟你一起生活，每天一起玩的日子，是後來最想念的時期。」

羅動丞像是在米粟身上找到讓他思念的要素，就這麼看著米粟許久，「為什麼叫米粟？你哥也都這樣叫你。」

「其實是小時候我跟哥哥在迷一款線上遊戲，那時使用的帳號是哥哥幫我註冊的，『米粟』是他隨意幫我取的暱稱，之後就沿用到現在。」

「原來是這樣。他真的很常提到你，今天總算見到本人了。」羅動丞突然想起什麼，站起身說道：「你想進去阿泉的房間看看嗎？」

「可、可以嗎？」米粟迫不及待地站了起來，看著羅勳丞指著最右邊鄰近浴室的木門。

「當然，我盡量保持了阿泉生前的樣子，雖然有些遺物已經被阿姨收走，但是我們共同買的東西都還留著。」羅勳丞走上前慢慢推開緊閉的門，點亮房內的燈光。

米粟在他身後遲疑了數秒，才提起勇氣踏入。房內的擺設很普通，靠牆的單人床、幾座書櫃，還有張白色桌子，置物架上有兩隻色彩繽紛的過時款式小熊布偶。

羅勳丞指著布偶說道：「我記得這是你以前送他的生日禮物。他有替兩隻熊取名字，藍色那隻叫麥力，粉紅色的叫米粟。『麥力』是小時候英語補習班老師替他取的英文名字。你知道這件事嗎？」

米粟來到置物架前，盯著那兩隻小熊，「他跟我一樣也懶得改，後來網路暱稱就一直是『麥力』。當時在遊戲公會認識的人，都知道麥力的弟弟是米粟。雖然由來很隨便，但一想到是哥哥幫我取的名字，就有特別意義了。」

「如果是我也會有相同的想法。」吳梓弄站在他身旁，看著那對被細心收藏的小熊布偶，本來對米栗的暱稱沒什麼感覺，現在突然覺得親切許多。

「長大後哥哥沒有再提過這些，沒想到居然還替這兩隻小熊取名，看不出他會做這種事。」米栗轉移視線看著那張整齊鋪好的床許久，又看向靠窗的書桌，一會才向羅勳丞問道：「我可以坐坐那張椅子嗎？」

「可以啊，阿泉也很愛坐在椅子上看窗外的風景發呆。他病得很嚴重之後哪裡都去不了，只能在房裡休息，還好這扇窗面向大馬路，可以看看外面路人在幹嘛來打發時間。」羅勳丞邊說邊替米栗拉開椅子，邀請他坐下。

那是張很普通的木椅，桌面很乾淨已經沒有任何東西。米栗坐在椅子上望著外頭，從他的角度可以看到鄰近的小學還有公園。

附近車流量不大，可以讓人靜靜欣賞外頭的一切，就這樣耗掉整個下午也沒問題，米栗不禁想像著哥哥坐在這裡發呆的樣子。

「哥哥是不是很愛在這裡喝奶茶？一邊喝一邊看外面。」米栗望著外頭問道。

「對啊他有這個習慣，不過後來身體狀況不太允許坐這麼久，胃口也變得越來越差了。」羅動丞來到他身邊，一同看著外頭的風景。現在已經是晚餐時間，鄰近大樓有好幾戶亮起燈來。

「這間房子是你們一起租的嗎？」米粟悄悄從背包拿出筆記本，不知不覺開始進行訪談。

「是親戚的房子，我在附近工作所以住這裡。嚴格來說親戚有收房租，不過只收每個月基本的水電瓦斯費而已，減輕不少負擔。」

「原來如此，難怪你可以一直保留這間房間……」米粟轉頭觀察四周，仰頭問道：「你跟我哥哥結婚幾年了？」

羅動丞收起笑容，以變得相當悲傷的目光望著窗戶說道：「大約一年半吧。」

「所以直到他離開為止，你都陪在旁邊嗎？」

「是啊……」羅動丞陷入思念的悲傷，在房內轉了一圈後，在那張米白色單人床上坐下調適心情。

「我想知道你怎麼認識我哥哥，又怎麼會走上結婚這條路？」米粟猶豫一會，轉過身充滿尷尬地說：「其實直到接到委託，我才曉得哥哥已經結婚。以前沒有任何跡象可循，甚至根本沒看過他談戀愛，其實有點意外……」

「我們沒有讓太多人知道這件事。我跟阿泉很久以前就認識了，在他高一的時候曖昧了三個月然後交往，接著就搬來一起住。他在高中畢業那年主動問我要不要結婚，老實說那時候他的身體狀況已經明顯惡化，我隱約知道他的用意，所以當下就答應他的……算是求婚。其實到他去世為止，我都不太確定他真的是同性戀，還是因為當時我們都很寂寞與不安，需要互相陪伴。」

羅勳丞看著米粟與吳梓弄同時露出困惑的眼神，苦笑一下才繼續說：

「因為他以前也有跟我分享過暗戀的女孩子是誰，我也曾問他不覺得被同性喜歡很奇怪嗎？那時候他笑得很好看，用一種我很膚淺的眼神說『被自己也有好感的對象喜歡是好事，才不管性別』。」

「這很像哥哥的回答。他就是這種態度，所以李阿姨雖然很厭惡我，但看在兒子的面子上，對我還算尊重。」米粟忍不住笑出聲，他完全可以想像哥哥當時是以什麼樣的表情說出這番話。

「他也說過家庭有點複雜，所以和長輩們相處總是有芥蒂。」

「我是爸爸跟外遇對象生的小孩，後來東窗事發，爸爸就跟李阿姨離婚後跟我媽再婚。我的存在對宋家來說不太光彩，可是哥哥並沒有欺負我，只是媽媽常說別跟哥哥太親近，因為宋家的人都不喜歡我跟我媽。」

米粟失落地垂下肩膀，雖然低著頭，還是能感受到在場另外兩人憐憫的目光。他就是討厭這種反應，所以不願意多說這些事情。

「不過形泉學長真的很常提到你的事。」

吳梓弄在這般快要窒息的氣氛裡突然說道。

「我哥？」

「你也認識阿泉？」

兩人帶著不同疑惑望向吳梓弄。他明白現在不解釋清楚就走不出這扇門，輕咳幾聲後才說：

「米粟你加入的音樂鑑賞之美社，其實到六年前還叫搖滾音樂社。創社成員有六人，後來湊到可以申請正式社團的人數，就成立以練團和創作音樂為主的社團，形泉學長就是創社成員之一。我們那屆很多人都想加入，因為創社成員裡有個很酷的學姊，在校慶上那位學姊獨自表演了一段，讓一堆人墜入情網，當然也包括我。直到我畢業，搖滾音樂社一直是熱門社團之一。」

吳梓弄說到這裡，露出埋怨的眼神瞪著米粟。

「做什麼？為何這麼不開心？」米粟被瞪得莫名其妙，不禁往後退一些。

「這個社團在我畢業兩年後竟然差點廢社，還是靠兩個學弟去爭取留下來的，但也因為經費問題轉型成靜態鑑賞路線。後來是回學校任教的學長姊希望讓以前教樂器的活動復活，所以才外聘我當社團老師。」

「我有感受到你的用心，所以現在已經能完整彈出〈小星星〉跟〈兩隻老虎〉，這樣你應該滿意了吧？」米粟對上他譴責的目光，連忙解釋。

「你這樣對得起那些創社的學長姊嗎？你哥哥可是創社成員之一呢！」吳梓弄一想到這個關連，整個人都熱血沸騰起來。

「好啦，我回去多練一首兒歌就是了。」米粟雖然有點委屈，但一想到不小心加入哥哥參與創社的社團，其實有點開心。

一旁靜靜聽著的羅動丞則露出溫柔又想念的模樣說道：「我今天才知道阿泉在學校的事情，原來他會樂器？」

「哥哥小時候學過幾年鋼琴，其實還滿有天分的，不過後來因為家裡種種情況就放棄了。」

「原來如此，委託你們調查果然是對的，我跟阿泉不同校，其實很多事情知道得不多。」

「這樣聽起來梓弄哥也是訪談對象了。」米粟將吳梓弄的名字寫進訪談名單裡，對於在場三人居然或多或少都與李彤泉有關連的巧合感到意外。

由於今天只是初步交流，準備的訪談題目不多，約莫晚上八點半兩人就準備告辭。離開之前，米粟再次提出想在哥哥生前的房間多待一下，羅勳丞欣然同意。

米粟獨自一人在不到五坪的小房間裡來回走動，所有家具都是李彤泉生前曾使用過的，讓他忍不住想像哥哥在這裡生活的模樣。

這時米粟突然想起還有件事沒確認，便向站在臥房門口的羅勳丞問道：「方便讓我看你的身分證背面嗎？」

「嗯？」羅勳丞立刻露出困惑的眼神。

米粟曉得自己的要求太過突兀，越說越小聲：「我只是想看看你的配偶欄。雖然有點沒禮貌，但我很好奇哥哥的名字在別人配偶欄裡是什麼感覺，只看一眼就好。」

他。

「我明白了，等一下。」羅勳丞大方地答應，馬上翻出皮夾裡的身分證遞給

「抱歉提出這麼無禮的要求。」

米粟接過後緩緩地翻過背面，配偶欄的確寫著「李形泉」，下方則註記了「歿」字。

米粟輕輕地撫摸那行字，不知為何在這一刻覺得特別有真實感，就像以往生前調查時的感觸。

努力就能尋找到已故人們生前的種種痕跡，也能為對方拼湊出曾經活在這世上的證據，這就是生前調查室成立至今的核心宗旨。

# 第十三章

## 意料之外的委託人（三）

結束羅動丞的初步訪談後，吳梓弄與米栗在回程路上難得沒有交談。

直到回到家家飯館，米栗才開口問道：「你高中的時候跟我哥很熟嗎？」

吳梓弄收好安全帽，一臉早有心理準備的表情回道：「還滿熟的，每週三社課都會見面，那時候搖滾音樂社活動不少，我們週六還會在學校練團。」

「真好，說不定你跟我哥相處的時間比我還長。」米栗跟在他後頭慢慢爬上樓，帶著羨慕的口吻說道。

吳梓弄回過頭對上米栗那寂寞的眼神說道：「學長很常提起你的事，感覺得出他很想跟你一起生活。我曾問過他為什麼沒有跟弟弟一起住，他給了我個一言難盡的神情。」

「有點難想像……」

米栗思考一會，一副想追問又欲言又止的反應。

這時剛好抵達了三樓，吳梓弄伸手一把勾住米栗的肩膀往房間走去。吳梓弄強制對方坐在自己對面，兩人就這樣四目相對好一段時間。

「做什麼？」米栗手足無措地問道。

「雖然現在時間不早了，但我願意讓你訪談，儘管問任何跟李彤泉有關的事吧。」吳梓弄認真說道。

「真的……？」米栗看著指向十點的時針，照這樣下去至少要深夜才能休息了。

「盡量問。」吳梓弄頗有捨命陪君子的氣勢。

「他提過關於我的什麼事？」米栗舔舔唇，拿出收在背包裡的筆記本，竟發現自己握起筆的手有些顫抖。

「他常說你不太愛吃飯，連用零食拐都沒用，對這種生活方式感到很擔憂。啊，可能是因為這樣，後來遇到你就想起這件事，希望你乖乖吃飯，沒想到就是當事人。」吳梓弄說完哈哈大笑。

「難怪，哥哥以前很常隨時變出食物，從餅乾到雞排都有，但我真的很討厭吃東西，有吃就好……」米栗實在不懂大家為什麼老是操心這種事，沒想到哥哥還對外人說這些。

「他還說超怕你是不是要去當仙人。」吳梓弄看著米栗一會，才接著說。

「形泉學長其實跟你氣質和作風都很接近，不是很多話，可是對喜歡的事情很專注。他們這些最熱情的創社成員在學的時期我過得很快樂，他畢業的時候還挺難過的。」

吳梓弄想起當時的種種，情緒漸漸變得哀傷起來。

「我很少聽哥哥提高中的事，剛剛才知道原來現在待的社團是哥哥創立的，想到無意間跟他有所連結就覺得很開心。」

「既然這樣的話就給我認真學。」吳梓弄趁勢提醒。米栗這下子無話可說，只能苦笑以對。

吳梓弄像是抓到把柄，俯身靠近又說道：「認真點，這樣你哥說不定會更開心。」

「我知道啦……再追加一首兒歌。」米栗總覺得說不過他，只好再次妥協。

「有點勉強，不過我接受你的提議。」

吳梓弄一副得逞的笑意，讓米栗別過臉，垂下肩膀悶聲說道：「總覺得把自己給賣了……」

「哪有？我現在教的曲子都是學長一開始教我們的，雖然當時他是負責鍵盤，但是弦樂器學得很快，一下子就能融會貫通來教學弟妹。」

「我只知道哥哥彈琴很好聽，小時候他會彈給我聽。他高中的時候有上臺表演過嗎？」米粟好奇地問道。

「記得我高一時的社團成果發表會，我們一年級也有報名表演，還雄心壯志報了三場，結果第一場就唱得亂七八糟，臺下都在嘲笑。接著後面第二場的人也表現失常，最後壓軸喪失自信，大家都不敢上場。這時平常最安靜的學長居然主動拿了把吉他就上臺，在一片嘲笑聲中開始演奏，五秒後臺下的人就全安靜下來。」

「為什麼？」

米粟無法想像那是什麼情景，光想像就覺得壓力很大，但哥哥居然可以扛住。

「雖然只有吉他演奏，但學長沉穩的臺風、意外好聽的嗓音，讓大家都安靜下來欣賞，甚至得到很多掌聲，保住了搖滾音樂社的名聲。不過學長很低調，後來有不少學弟妹衝著他加入社團，想找他指導都被推掉。」

「明明像英雄一樣救場，卻馬上又想當個透明人，很有哥哥的風格。」

米粟完全能理解哥哥是什麼心態，笑了好一陣子後才說：「真想看看是什麼樣子。我有聽過他唱歌，可是從來不是在這麼正式的場合。」

吳梓弄盯著米栗好一會，突然起身說道：「記得當時有拍照，我去找找。」

他丟下這句話就匆匆離開房間跑下樓。米栗可以清楚聽見樓下翻箱倒櫃的聲響，擔憂地往門口探頭，「不知道順不順利……」

大約十分鐘後，傳來吳梓弄跑上來的腳步聲。

他抱著資料夾來到米栗面前，「找到了！當時的校刊和社團活動記錄都還留著，都給你看看。」

「哇，裡面有哥哥的照片對嗎？」米栗看著那本資料夾，心裡難以言喻的興奮。

「我剛剛大致翻了一下還不少。」吳梓弄將收藏完整的校刊推到他面前。

米栗拿起翻閱一會後，就找到關於社團成果發表會的報導。文字搭配的是李彤泉坐在舞臺中央彈吉他的照片，鏡頭距離稍微遠了一些，只能看到模糊的輪廓，「臺下好多人，哥哥不緊張嗎……」

吳梓弄也看著那張照片，以充滿回憶的口吻說道：「當時他上臺前和下臺後都是一樣的態度，我覺得他太厲害了。」

米栗仔細讀完報導後又翻看其他資料，多半是社團活動的側拍，好幾張照片都有李彤泉的身影，可惜的是他幾乎沒有看鏡頭。

吳梓弄也看得入迷，低聲說道：「學長是個很獨特的人，安靜低調但處事態度讓人感到很舒服，行政能力也很好，社團很多雜務都是他在管理。聽說他在校成績也很優秀，唯一缺點就是身體不太好。」

「的確是這樣，這是最可惜的地方了……」

米栗再次把視線落在那張舞臺表演的照片，他實在很想親眼看看這個情景，可惜只能透過照片想像。

「米栗，換你聊聊跟彤泉學長的相處過程吧。還有你家……複雜的情況，方便說嗎？」

「畢竟這也是哥哥生前記錄的一部分。」米栗勾起苦笑，吳梓弄可以感覺到他的為難。

米栗深呼吸口氣，面對自己原生家庭的種種，當然這之中也包括與哥哥的美好回憶。

「先前提過我跟哥哥是同父異母的兄弟對吧？老實說我小時候對這件事沒什麼概念，和媽媽兩個人住在外面的套房裡，現在回想起來，那段時光是最快樂的時候，什麼都不知道，也不用在乎宋家的一切。直到有一天，爸爸突然說可以回家了。我那時候不懂是什麼意思，什麼叫做『回家』？現在住的地方難道不是家嗎？」

米栗最有印象的，就是爸爸對他的問題露出為難的笑意，甚至還被媽媽罵小孩子亂講話。這個疑問他沒能得到解答，當天就跟著媽媽一起搬進新家。

「一進宋家我就產生強烈的排斥感，整個環境充斥著這裡不歡迎我們的氣息。媽媽倒是沒什麼反應，只是安安靜靜地搬進去。記得當時她問爸爸『都處理好了？』那時我不懂是怎麼回事，現在回想起來大概是在問跟是否已經跟前妻離婚。」

米栗提及此事，不禁垂下頭露出不太開心的表情。

「怎麼了？」吳梓弄見他皺眉，有些擔心地問道。

「長大後才知道以旁人的立場來看，我跟媽媽根本就是反派角色，我更是反派作案成功的結果。我到現在都沒有興趣知道我爸媽到底怎麼認識，怎麼會出軌外遇，只知道結果是李阿姨跟爸爸離婚，把哥哥的監護權給了爸爸，她從此跟宋家再也沒有關係。」

米粟閉上眼，在這一瞬間埋藏許久的畫面全冒了出來。

這些不是多快樂的回憶，其中印象最深刻的是第一次與哥哥見面的情形，比起大人們心有芥蒂的詭異態度，當時還叫做宋形泉的哥哥對米粟的態度大方許多。

宋形泉總是對他很好，是個很懂得分享的好哥哥，爸媽都有工作要忙，多半都是兄弟互相照應，唯一讓尷尬的是宋形泉一直稱呼米粟媽媽「阿姨」。之後爸爸某次酒醉時責備宋形泉要尊重自己的妻子，當時才十一歲的哥哥則憤怒地回應：「你有尊重過我媽媽？」

米粟媽媽本來想勸架，但在這瞬間尷尬得不知如何應對。

在這之前她與宋形泉的相處談不上親暱但也不差，可是那次爭執像是撕開一個再也補不回去的裂口。媽媽從那天起對宋形泉的態度有些改變，多了點不友善甚至疏離。

但還年幼的米粟沒有注意到這些，仍然天天追在宋形泉身後跑，跟他一起玩。宋形泉是個過分理智的人，對於每個人的立場都很清楚，就算與爸爸和繼母有所矛盾，也不曾把怨恨轉嫁到米粟身上。

然而難堪的事情接二連三發生，米栗五歲那年的除夕夜，他們回老家與爺爺奶奶一起吃團圓飯。

起初米栗只有覺得氣氛有點沉悶，媽媽比平常還要安靜，哥哥則被爺爺奶奶圍繞著關心，除了爸媽以外，自己似乎被其他親戚當做空氣一樣。米栗總覺得很孤獨，儘管哥哥一直找機會跟他說話，但很快又會被其他親戚們拉走。

他以為吃完飯離開後氣氛就會好轉許多，沒想到爺爺奶奶對於爸媽的不滿會表現得這麼明顯。就在這對老夫妻開始發紅包給兒孫們時，唯獨米栗被略過了。

米栗當時並不清楚到底發生什麼事，只知道媽媽抱起他，有好長一段時間沒有說話。爸爸也感到難堪，待沒多久就帶著他們一家匆匆離開。

關上大門之前，依稀聽到屋內有人說：「這種細姨生的小孩不是什麼好東西，跟他們一起吃飯已經很勉強了。」

米栗轉頭想問哥哥這是什麼意思，卻被對方伸手擋住耳朵並說：「忘了剛剛聽到的事。」

年幼的米栗覺得不太舒服，然而看著哥哥這麼嚴肅的反應，最聽哥哥話的他儘管很茫然還是點點頭答應。

從那之後，他們再也沒有跟那些人吃過團圓飯，一直是一家四口自己過年。米粟與哥哥的關係一直很好，但哥哥與雙親的關係卻日漸惡化。

宋彤泉升上國中後，介於大人與小孩之間的曖昧年紀，對許多事情可以看得很透徹，卻也有很難妥協的地方，與繼母的關係越來越差。

而當時爸爸無論任何事都偏袒妻子，與宋彤泉幾乎天天吵架。於是宋彤泉滿十四歲那年決定與爸媽攤牌，他想跟親生媽媽一起生活，想脫離宋家改跟媽媽姓。

這件事引起軒然大波，吵吵鬧鬧好一陣子，對於年僅八歲的米粟來說，是最討厭的時期。平常溫柔的哥哥與爸媽惡言相向、爭執不斷，他甚至親眼看到哥哥被爸爸甩巴掌，力道之大嘴角都流血了，嚇得擋在兩人之間嚎啕大哭。

宋彤泉或許被哭聲拉回理智，抱著不斷哭泣的米粟對爸爸說道：

「我很喜歡弟弟，但真的沒辦法跟你們一起生活。我一直都有跟媽媽連繫，她是我的親生媽媽。你外遇那是你的事，但我就是想跟媽媽一起生活，哪裡不對！」

這句話對這個長期處於壓抑狀態的家庭來說，可能是壓垮駱駝的最後一根稻草。

爸爸像是被狠狠揍了一拳，整個人無力地往旁邊沙發頹喪坐下，頭也不抬對哥哥說：「叫你媽來接你走吧，我知道你跟她一直有在連絡，要辦什麼手續再跟我說。」

米栗緊緊抱住哥哥哭個不停，而宋形泉木然地看著像是枯萎的爸爸，眼底沒有任何情緒，就像看著陌生人一樣。

從那一刻起，米栗覺得哥哥的身心已經徹底脫離這個家了。

之後哥哥升上國中二年級，從宋形泉變成李形泉。在申請改姓的過程沒有太多阻礙，只有接到消息的爺爺奶奶一連來了好幾通電話阻止，但所有人早就關係破裂，爸爸並沒有想挽留。

米栗並不曉得詳細過程，只知道哥哥在正式搬離前一天，陪他玩了一整天遊戲，甚至還陪讀睡前故事。

那對米栗來說是非常快樂的一天，已經就寢快被睡意侵襲的他，抓著哥哥的手說：「哥哥，我們明天也去公園玩好不好？」

哥哥露出感傷的神情抱著他，「從今以後我們就不能常常見面了，但想我的時候可以打電話給我，留給你的電話號碼有收好吧？」

「有。」米栗抿著嘴感到很不安，哥哥的語氣就像是要遠行一樣。

「想我的時候就打給我，哥哥有空就會來找你玩好嗎？」哥哥見米栗大概快哭出來了，不斷安撫他。

「哥哥為什麼一定要搬走呢？」米栗怎樣都想不通為什麼哥哥必須離開。

對方低下頭啞著嗓子回道：「這裡已經沒有我的空間了——」

當時的米栗根本聽不懂這句話的意思。

哥哥搬出去後，就與親生母親，也就是米栗口中的「李阿姨」一起生活，這兩人從此在宋家成了不能提起的名字。

就這樣過了好幾個月，李阿姨突然打電話來宋家。接電話的是媽媽，這是她們第一次正面對話，雙方除了尷尬還有濃濃的敵意。

「是李小姐嗎？請問有什麼事？」媽媽聽到對方的自我介紹，不禁握緊話筒語氣緊張。

李阿姨延遲許久才回話，從媽媽簡短的回答看來，這通電話是找爸爸的。

當時很不巧爸爸工作出差不在家，李阿姨還是留下了訊息希望媽媽幫忙轉達。米栗看著媽媽深呼吸好幾次才撥打爸爸的手機號碼。

「老公，那個人，呃，李小姐打電話來了。」

媽媽說出這句話之後，有好長一段時間保持沉默，直到躲在牆後偷聽的米栗隱約聽見話筒裡傳來含糊的聲音，「她想做什麼？」

「李小姐說阿泉這幾天都沒回家，問我們知不知道他去了哪裡。」

媽媽說完後，電話那頭傳來很激烈的抱怨語氣，她嘆了口氣不悅地說：「我也是這樣回她，自己找不到兒子居然打電話來問，還用質疑的口氣。她憑什麼！我根本不知道阿泉去哪。她還在等回覆，我不想打這通電話，你跟她說吧。」

媽媽隨後又交代幾句話便掛掉電話，米栗連忙跑回客廳沙發上裝作看電視的模樣。

媽媽一見到他安分的樣子，像是亟欲找到安撫似地將他抱進懷裡。

從那之後，米栗漸漸懂得自己跟媽媽在宋家是什麼樣的身分，也很清楚每年團圓飯都是一家三口，再也沒有回爺爺奶奶家過年的原因。

宋家除了爸爸以外，沒人會歡迎他們。

米栗深深認定，他與媽媽之所以不受歡迎，是因為他們趕走了李阿姨跟哥哥。

這段期間偶爾會有親戚來走動，米栗還會聽到他們趁爸爸不在場，看著自己竊竊私語：「細姨啊仔。」

米栗從這些生活經驗學會裝傻，裝作什麼都不知道，裝作與這些人能客客氣氣往來，盡量不去深究。

「有點渴，我喝個水。」

米栗輕咳一聲喝下好幾口水，正準備接著說下去時，卻看到吳梓弄一臉哀傷地看著他。米栗舔舔唇不解地反問：「幹嘛這種臉？」

「我只是覺得，你可以這麼平靜說出這些回憶，替你感到心疼，卻又很矛盾。畢竟外遇是很可惡的行為，李阿姨也受到很大的傷害，但你從小面對這些也是傷害……所以我不知道該氣誰。」吳梓弄咬咬牙懊惱地解釋。

米栗聞言勾起淺淺的笑容說：「那就氣我爸啊，事情搞得這麼糟就是因為他外遇，如果他把持住，說不定現在跟李阿姨還能和樂融融生活。」

米栗說到這裡不禁停頓一下，喃喃道：「如果有個我爸沒外遇的平行宇宙，既沒有我的存在，說不定哥哥也還活著，不用經歷這些風暴，我反而還滿希望這樣。」

「啊，真是的，真的都是你爸的錯，他是把一切搞得這麼糟的元兇！你說得對，我找到目標可以發洩了。」

吳梓弄很不客氣地抱怨宋爸爸許久，當然這也是因為米粟能坦然面對才敢這麼做。

言談間吳梓弄仍舊透露著想保護米粟的態度，米粟的反應卻像是在聽一個有趣的笑話，整個人笑得全身抖動。

「不過那時候哥哥到底發生什麼事，為什麼李阿姨得硬著頭皮跟爸媽連絡，我到現在還是不知道原因。從當時的對話內容來看，哥哥應該是離家出走了，但其實我之後還有跟哥哥碰過面，並非完全找不到人。我試探過這件事，哥哥也只是一直微笑說沒事，是媽媽誤會了。」

「聽起來是不太想提啊。」吳梓弄一手撐著下顎，想了一會幫忙下了註解。

「而且那段時間我的生活也有很大的變化自顧不暇。」

「你發生什麼事？」吳梓弄順勢接著問，這是他一直想知道關於米粟的關鍵過去。

米粟抬頭思考了一會後，才開口說道：

「記得是我剛滿九歲的那年，生日過後不久。爸媽的工作常常到處跑談生意，有天大概是太累，回程路上遇到嚴重事故當場離世。那時候我在保母家裡睡覺，記得是大半夜被保母搖醒，她滿臉都是眼淚，說要帶我去看爸媽。但我其實什麼都沒看到，大人們似乎也不想讓我看到，那時負責處理所有後事的人就是大伯一家，我那段時間就跟著堂哥堂姊生活。」

「啊，就是之前來這裡的那兩個人？」吳梓弄立刻想起先前的碰面，宋幟與和宋幟怡兩人對米粟特別關愛的態度令人印象深刻。

「就是他們，他們到現在還在問我什麼時候願意搬回去，覺得有點困擾。」

米粟提起這對堂兄妹難掩苦笑。

「可是你不是說因為身分問題，在宋家處境尷尬嗎？不過在大伯家裡似乎過得還算不錯？」

吳梓弄想了想，擔憂地靠近他問道：「還是你其實被虐待只是不敢說？沒關係的，跟我訴苦一下也好，人不用那麼堅強。」

米栗對上吳梓弄關心的眼神露出淺笑，對方真誠的態度讓他難得地感到溫暖。

「沒事的，大伯家的狀況比我家還複雜，堂哥跟堂姊其實是繼兄妹喔。大伯再婚過兩次，但兩次都是離婚收場，堂哥是第二任太太生的小孩。堂姊是前妻離婚後跟再婚對象生的孩子，但因為後來婚姻狀況不甚理想，無力扶養所以回頭跟大伯求救，大伯就收養堂姊當養女一起生活。在這種家庭結構下，我加入也不怎麼奇怪了。」

吳梓弄一臉困惑，還在釐清剛才米栗說的人物關係，但是越想越不解，讓米栗忍不住仰頭大笑，「我幫你畫個人物關係圖吧。」

米栗抽出一張紙，先是在最上面寫上「大伯」二字，接著畫出樹狀圖，寫下第一任妻子、第二任妻子，接著又在兩位妻子下方寫下各自的子女，又把自己寫在上頭延伸的另一個樹狀圖，寫上自己的爸媽，完成了一幅無比複雜的宋家人物介紹圖。

吳梓弄看著米栗畫好的關係圖，這下才總算搞清楚所有人的關係，「你家有夠複雜。」

「我爸跟大伯在宋家是特例，大伯是家族裡唯一沒有對我爸外遇的事情有任何惡言惡語的人，但他也常說爸爸這樣不對，辜負愛你的人、傷透對方的心非常惡劣，要我警惕不能學。」

「你大伯挺有趣的，感覺很清醒又很寬容。」吳梓弄想起那天遇到的宋幟怡與宋幟與，突然對他們沒那麼排斥。

「我真正覺得有個家，是搬進大伯家裡住之後，一開始以為會像過年遭遇的情形一樣，沒想到堂哥堂姊卻一點也沒有排擠我，我就這樣跟他們一起生活，直到想替哥哥做點什麼，又不想被他們干涉太多，所以決定搬出來。」

「我對你堂哥堂姊那緊迫盯人的態度印象很深，原來這麼關愛你啊？」

「對啊，過度的關愛讓我有點承擔不起。」

米粟想起那段時間，雖然有人關照讓他不會感到孤單，可是畢竟他生性喜歡與他人保持距離，回想起來竟忍不住打了個冷顫。

「他們為什麼沒被那些七嘴八舌的親戚影響呢？雖說這是好事啦……」

吳梓弄沒錯過米粟打冷顫的瞬間，掩不住笑意直說：「你們真有趣，我真的大開眼界了。」

「大概是因為堂哥堂姊小時候也經歷過類似的事吧？大伯一家住的地方是老社區，都是認識二三十年的老鄰居，所謂壞事傳千里，一點風吹草動就會傳遍整條街。堂哥堂姊從小就一直深受『宋家兩個孩子都是從育幼院領養來的』這種傳聞困擾，而且大伯兩任太太離婚後都很低調搬離住處，結果有謠傳大伯剋死兩任妻子，導致後來沒人敢跟他談感情，謠言這種東西真的會害慘人呢。」

米粟說到此處又嘆了口氣。

吳梓弄見他憂愁又無奈的樣子，拍拍他的手臂安撫並問道：「你哥哥知道你跟大伯一起住嗎？」

「當然，爸媽出事當時他急著要連絡我，但因為中間連繫時間有落差，我遲了好幾天才回電話。那是我第一次知道總是很冷靜的哥哥，居然也有這麼焦慮的時候。」

米粟想起當時的情景壓抑不住笑意，這讓吳梓弄感到不解。

「你還笑，以我對形泉學長的了解，他應該擔心到要失眠的程度了，不過還真難想像平常冷淡的他激動起來是什麼樣子。」

「很激動喔，一聽到我的聲音就大吼。我從沒聽過他吼人，真希望當時有錄音……」

那一刻對米栗來說永生難忘，遭逢巨大打擊，獨自一人時就會偷偷哭泣，怎麼努力都無法排解不斷湧出的寂寞，直到與哥哥連繫上的瞬間——

「你這傢伙！為什麼現在才打電話給我？我都快急死了，你在哪裡？」

已經改姓為李彤泉的哥哥，帶著經過青春期洗禮的成年嗓音對他吼著。

米栗有那麼一瞬間沒能認出對方的聲音，拿著手機呆滯地反問：「你誰啊？」

「我是你哥！你現在到底在哪裡，還好嗎？」

「我在大伯家裡，還好。哥哥，你的聲音變得好奇怪……」

米栗感到很陌生，哥哥進入變聲期後就很少跟他連繫，加上分隔兩地的關係，見面次數少之又少，米栗的記憶還停留在對方剛離家的印象。

「怎麼說這麼見外的話，有人照顧你就好，哥哥真的很擔心。居然等到喪禮結束才通知我這件事，這些大人到底知不知道事情的分寸啊！改姓就把我當外人了嗎……」

李彤泉正為了錯過父親喪禮感到懊惱，米栗靜靜聽著，壓抑不了的寂寞此時再次潰堤，過於悲傷的哭聲讓李彤泉慌亂地問道：「別哭，別哭，怎麼了？」

「哥哥……」

米栗聽到他的聲音哭得更凶了，抽抽噎噎地說道：「爸爸跟媽媽突然都不在了，你也不在，我只有一個人，好怕……」

「別怕，我不是說過你隨時都可以打電話給我嗎？」李彤泉立刻放柔語氣安撫，聽著弟弟不安又無助的哭聲，心裡相當不捨。

「嗯。」米栗聽著他溫柔的聲音，情緒漸漸緩和下來。

「別哭，不然我明天就去找你好不好？」李彤泉低聲問道。

「真的？你可以來？阿姨不會生氣嗎？」

米栗戰戰兢兢地反問。他們之所以不能常常見面，是因為李彤泉的母親並不喜歡他們關係親密。

「都這種時候了，我會讓我媽答應的，你別擔心。」

「好，我很想你。」米栗委屈的語氣讓李彤泉不禁倒抽一口氣。

「我也很想你，明天下課我就去找你。大伯家離我這裡不遠，你記得跟他們說一下好嗎？」

「哥哥，你要來喔。」米粟結束通話前又叮嚀好幾次，就怕哥哥食言。

後來李彤泉的確依約一放學就來找米粟，陪他吃晚餐、玩遊戲。

從這天起他們見面的頻率比過去高了許多，對米粟來說也是與哥哥之間最珍貴的回憶。

## 第十四章

# 意料之外的委託人（四）

「對了，哥哥在我六年級時送了個禮物。我非常喜歡線上遊戲裡有款銀色懷錶的道具，哥哥當時特地找到相似的款式送給我。」

米栗連忙起身，從靠牆的櫃子裡找出一個白色收納箱，雙手抱著箱子來到吳梓弄面前放下。

「懷錶用這麼大的箱子裝？」吳梓弄左看右看，看不出不透明的盒子裡面有些什麼。

「裡面都是哥哥送我的禮物。他用各種我想得到、想不到的名義送，考試第一名、參加游泳比賽得到最佳勇氣獎、參加一日超商店員體驗，所以有很多。」

米栗打開盒子，拿出那塊銀色懷錶給吳梓弄看。

「還滿精緻的，應該花了不少錢。」吳梓弄拿過懷錶仔細端詳。

「感覺不便宜，沒想到哥哥居然記得這件事，我拿到的時候超開心。」米栗拿回懷錶，翻過背面指著上頭的英文縮寫說道：「這是米栗與麥力的縮寫，是哥哥找金工店幫忙刻的字。我很小心收藏，不過指針已經故障了。」

米栗看著時針停在七，分針停在五的錶面好一會才說：「但我一直不想拿去修，因為停止的數字剛好是哥哥去世的日期，七月五號。」

「形泉學長向來很細心，你跟他這點特別像。」吳梓弄看著箱子內又問道：「還有什麼？」

「乾燥植物裝飾品，裝有經過處理葉子的滴膠飾品……」米粟說到一半突然停頓，此舉讓吳梓弄感到困惑。

「怎麼了？」

「現在才注意到從哥哥去世兩年前開始，他送的禮物有個共通點，都是處理過的植物做成的各種物品。他過世那一年更直接，送給我一束很漂亮的乾燥花。全都有可以保存很久、不會壞掉的含意，感覺像是在暗示他已經生病了。」

米粟將所有禮物逐一擺在桌上，有花有草還有各種好看的葉子。

吳梓弄沉默一會才說道：「高中的時候覺得學長健康沒什麼問題，只是偶爾看起來精神不是很好。」

米粟搖搖頭，「他發病是高中畢業以後的事……」

「我記得形泉學長是癌症過世，我聽到消息的時候很驚訝，還有去捻香道別。」

米栗聽到這段話，愣了一會後才說：「你倒是提醒了我一件事，哥哥喪期我幾乎每天都到靈堂，跟他說說話，幫忙折點紙蓮花、紙元寶，這段時間完全沒見過羅勳丞，就連出殯那天也沒見到，身為哥哥的配偶卻不在場很奇怪。」

米栗說完後與吳梓弄互看許久，他們都隱約感覺到不對勁但又陷入猶豫，兩人的眼神透露出在思考著同一件事。

「我覺得這件事不好直接問當事人。」吳梓弄低聲說道。

「我也有同感，覺得問了他也不會坦白。結婚這件事低調到近乎隱瞞的程度，或許有些疑點得釐清。」

米栗翻開筆記本，反覆看著羅勳丞訪談的內容，判斷沒有任何可以參考的線索，然而以生前調查室的做事風格，不能在這裡停下腳步，必須找到新的方向才行。

而這件事，就在隔天與調查室成員討論後有了答案。

米栗將這兩天收集到的資料放上群組，眾人一如往常討論得非常熱烈。

不過儘管事前提醒大家不要顧慮，所有人只要一想到這次調查的對象是米栗的哥哥，措辭與態度都相對溫柔許多，甚至對於米栗一下子公布這麼深入的隱私感到擔憂，紛紛建議他不用說明也沒關係。

長頸鹿：「我很少這麼嚴肅說話，但是我覺得米栗你可以不用說出自己在這個家的立場，只要說是同父異母的兄弟就可以了啦。」

木可可：「對啊，平常討論得很熱烈，今天都忍不住下手輕一點了。」

米栗：「不要緊，如果不把關係交代清楚，也很難推敲接下來該調查的方向，所以不用顧慮我的心情。」

阿團：「說是這麼說啦……好吧，我們回歸正題。已經初步訪談過你哥哥的配偶，弟弟也就是米栗也接受了訪談，另外這個社團學弟的訪談內容也大致清楚。我比較好奇的是你哥哥去跟生母生活後，中間那個疑似離家出走的事有解答了嗎？」

米栗：「沒有，至今仍然是個謎，哥哥生前刻意迴避過這個問題。」

長頸鹿：「既然這樣的話，要不要試著跟你哥哥的生母連繫？雖然我覺得難度挺高的。」

米栗看著這段話陷入沉默，一直安靜看著的吳梓弄此時抬頭看了他一眼問道：「你願意接受這個建議嗎？」

米粟露出苦笑，「我可以接受，但不確定李阿姨會不會理我。畢竟她忽視我都來不及了，更何況是跟我說話。」

「也是，這下該怎麼辦才好。」吳梓弄沉重地撇撇嘴，這大概是他們執行訪談以來感到最困難的一次了。

「但這是個很值得邀約的對象，尤其關於哥哥脫離宋家之後的生活，李阿姨應該能提供很多記錄，所以我決定試試看。」

米粟下定決心點點頭後，在群組裡回應。

米粟：「長頸鹿，謝謝你的建議，我會試試看跟哥哥的生母連絡。」

長頸鹿：「希望你能成功，不過很困難的話也別勉強。」

白星：「對啊，別勉強。情況太嚴肅，我都不知道怎麼搞笑了。」

無糖臺南人：「那你就現場跳個舞吧。」

白星：「不是，別讓我當破壞氣氛的人，米粟現在面臨的事情很嚴肅！」

米粟：「白星，你就跳吧！我很期待。」

大概是白星自帶笑果的本事，短短幾句話就讓整個群組氣氛歡樂許多，米粟也再次舒緩心情。

「我明天就找時間連繫李阿姨，雖然離婚後就不往來，但我以前有透過哥哥取得李阿姨的電話。」米栗語氣平靜地說道。

吳梓弄見他冷靜的模樣不禁感嘆，這個十六歲的少年有著超齡的沉著，一想到過去的經歷讓米栗練就今天這般模樣，吳梓弄還是壓不住藏在心裡深處的同情。

隔天放學後，米栗依照計畫試圖連繫李阿姨，但發現電話已經變成空號。

他坐在床鋪上陷入沉思，接著露出猶豫的表情點開手機通訊錄，指尖在螢幕上慢慢滑著，最後停留在「堂哥宋幟與」的位置上喃喃道。

「幸好梓弄哥不在，不然他一定抓著我問個不停了。幟與哥應該有辦法，但打給他得先做心理準備。」

米栗緩慢地按下撥號鍵，非必要他絕不會主動連繫宋幟與，因為會很麻煩。

手機響了兩聲很快就被接起，對方的聲音壓得低低的，但米栗聽得出語氣裡帶著一點愉悅，「怎麼打給我？」

「有點事情想麻煩你。」米栗可以想像對方現在應該嘴角都忍不住上揚了。

「儘管說，終於想起我這個哥哥的存在啦？」宋幟與的口吻說有多開心就有多開心。

米粟立刻皺眉，他聽到對方竟直接笑出聲，還是充滿期待那種，「呃，我這次生前調查的對象是哥哥。」

「李彤泉？居然調查你哥？有人委託嗎？」宋幟與的音調不禁拔高幾分，除了感到意外還有一點點抗拒。

「哥哥的結婚對象。」米粟不想讓事情變得很麻煩，盡量簡短回答。

「我怎麼沒聽說他已婚？也隱瞞得太好。」

哥哥已婚這件事真的瞞得很徹底，米粟想了想還是向堂哥說明細節。

向來冷酷理性的宋幟與在過程中頻頻發出疑惑的反應，「你哥其實是同性戀，結婚的對象是男人？而且結婚這件事幾乎都沒人知道？」

「要不是他丈夫委託我調查，我可能永遠都不會知道這件事。」

米粟不禁想起幾天前看到羅勳丞的身分證配偶欄上寫著哥哥名字。

這世上多了個哥哥的家人，他有點開心卻也有點失落，因為哥哥直到去世為止，始終對他隱瞞著這件事。

「這短短十分鐘內知道的新資訊有夠驚人的。」宋幟與嘆口氣後才問：「所以你要我幫你什麼？」

「我下個訪談對象想找李阿姨，但我沒有她的連繫方式，你那邊有嗎？」

「你想找李阿姨？我不確定她願不願意理我們哎，畢竟她很討厭宋家人，你又不是不知道。」宋幟與顯然不看好這件事，頻頻勸米栗換個訪談對象比較好。

但米栗不想退讓，近乎哀求地說道：「幫我連繫看看李阿姨吧！聽起來你知道她的手機號碼吧？就算被拒絕也沒關係，總要試試看。」

「為什麼一定要找李阿姨呢？」宋幟與的態度終於軟化一些，帶著不解問道。

「因為有些事情可能只有李阿姨才知道。」

「好吧，但我不保證能成功，總之今天會試試看，結果如何隨時跟你說。」

「好，麻煩你了。」

結束通話後，米栗為了轉移忐忑的心情，開始整理調查的資料，甚至還能抽點空背一下隔天可能會考的英文單字。

吳梓弄照往常來跟他一起吃完餐、進群組討論其他委託的進度，但米栗並沒有透露與宋幟與連繫的事情。

就這樣直到晚上十二點，米栗略微失望地將手機收進口袋，心想要取得李阿姨的訪談許可果然希望不大，有些惆悵地找到以前在大伯家翻拍的兒時合照。

那是一張現在來看很是珍貴的照片，哥哥抱著他，身邊則站著個子略小一些的宋幟與以及宋幟怡。他們是在什麼情形下湊在一起玩，當時他年紀太小已經不記得。

「找個機會問看看好了，幟與哥應該記得。」米栗看著手機顯示十二點半，決定放棄等待，「時間太晚了，幟與哥也有別的事情還在忙，睡吧。」

米栗揉揉眼，換上乾淨舒服的睡衣準備就寢時，手機跳出了宋幟與傳來的訊息。

**宋幟與：「米栗，睡了嗎？」**

米栗立刻坐起身，點看手機頁面急忙回覆，**「還醒著。」**

**宋幟與：「打給你直接口頭說比較快，接個電話。」**

米粟帶著開獎的忐忑不安接起來電，剛接通時能感受到自己連呼吸都在發抖。

「我連絡到李阿姨了，本來以為可能會被掛電話，但是說明來意之後，她的反應讓我很意外。」宋幟與一邊喝著飲料，漫不經心地說道。

「李阿姨跟羅勳丞關係不錯，還是他們的結婚見證人之一，另一位見證人是你哥跟羅勳丞的共同友人，李阿姨跟他們都很熟。另外羅勳丞之前就提過要委託你哥的生前調查，她也同意這件事，只是李阿姨沒想到調查室的室長是你。」

宋幟與快速地交代重點，卻換來米粟一陣沉默，他馬上就察覺異狀輕聲問道：「怎麼了？」

米粟深呼吸口氣才說：「阿姨對哥哥結婚這件事反應好像還好，比預料中融洽很多，我有點嫉妒……」

宋幟與聞言大笑問道：「有什麼好嫉妒的。不過他沒跟你說結婚的事，的確有點令人失落，你最想知道的應該是他為什麼不讓你知道吧？」

「嗯。」米粟點點頭。

宋幟與就算看不到，也能想像米粟現在的表情，大概是隱忍中又帶著點不甘心，但不想影響其他人，反而一副看起來沒事的模樣。

「等見到李阿姨的時候，你可以問問這件事。」

米粟呆滯好一會才意識到這番話的意思，緊接著問道：「李阿姨願意接受訪談嗎？」

「雖然一開始有疑慮，但解釋一下你成立調查室的宗旨後她就答應了。反正這也不是壞事，與其遮遮掩掩不如直接表明來意。」

「你說得有道理，有順便跟她確定見面的時間嗎？」

「當然！你以為我誰。她給了我三個時間，明天晚上六點、這週末六日下午四點。」

米粟連忙下床抽出紙筆將時間寫下來，斟酌一會後便說；「週六下午四點吧？我想保留充裕的時間做訪談。」

「好，明天我會跟李阿姨說，不過還有個前提。」

「什麼……？」米粟皺起眉，覺得這個尾音一定不簡單。

「我要參加這次的訪談，不然就不幫你轉達。」宋幟與的要求很明顯是自己追加的條件，而且不給米栗任何選擇餘地。

「好啦，那就一起吧，麻煩你幫我連繫了。」米栗只有思考幾秒就妥協，聽見宋幟與得逞的笑聲，他無奈地搖搖頭。

「我明天給你答覆，你也早點睡吧。」宋幟與交代後就結束通話。

第二天早上他便傳來訊息，說已經跟李阿姨約好在她家訪談，要米栗別忘記。

米栗則是到傍晚才向吳梓弄說明進度，也準備晚上在調查室群組裡向所有成員告知這個好消息。

然而吳梓弄聽到宋幟與也要參與週六的訪談時，立刻露出嫌惡的表情，「他也要去喔？感覺到時候氣氛會很差。」

「為什麼你跟幟與哥好像很合不來？明明你們相處的時間根本不長。」米栗困惑地盯著吳梓弄，過於真誠的目光讓對方別過臉尷尬地撇嘴，一時無法答話。

「而且也沒聽過幟與哥對你有什麼不滿，不過他一直叮嚀我不要透露太多他的私事，似乎也不想遇到你。我問過原因，他只說跟你屬性不合。」

米栗與人相處的原則是只要彼此不交惡就好，當然對於深交與否會以自己的感覺做判斷，但實在想不透像吳梓弄與堂哥這樣毫不掩飾的排斥。

「就是他說的，屬性不合。」吳梓弄低聲說道，米栗仍舊盯著他不放，無聲地告訴吳梓弄要他說清楚。

「好啦，我說，就是……你都沒發現，我們第一次碰面時，他對我的敵意很明顯嗎？」吳梓弄反過來問米栗。

「有嗎？我只覺得他對我獨自在外租屋有點意見，雖然後來妥協，但經常有意無意說隨時等我搬回去。」米栗困擾地望著吳梓弄許久，兩人就這樣互相對視。

「你快說到答案了。」吳梓弄聳聳肩低聲提醒。

「啊，幟與哥有敵意的原因是我跟你住一起？」米栗恍然大悟，但表情透露著不可置信。吳梓弄挑眉點頭，無聲地讚賞他總算說對了。

「不是吧，幟與哥這麼幼稚？」米栗突然覺得事情有點麻煩，不過回想一下過去種種，吳梓弄所說的也並非毫無根據，令他不禁雙手摀著臉發出哀鳴。

「這下我開始擔心週六跟李阿姨訪談的狀況了。」

「到時候再臨機應變吧。比起你堂哥，我其實更好奇李阿姨是帶著什麼心情答應訪談的，你有頭緒嗎？」

米粟被這麼一問，茫然地盯著天花板上的日光燈管好一陣子才說：「我幾乎沒跟李阿姨說過話，哥哥葬禮上也只是簡短打招呼，一點都不熟，但她也很難喜歡我吧。」

「天曉得呢，當天我也會在場，希望氣氛好一點，我也會當你的後盾的。」吳梓弄拍拍他的肩膀輕聲安撫。

「謝謝梓弄哥。」米粟被這麼一拍，心中的不安頓時消失了一大半。儘管如此，訪談的前一晚他還是免不了緊張而直到快天亮才得以入睡。

雖然事前會合的時間是下午三點半，但米粟中午就起床忙著檢查訪談用的題目，也努力替自己做好心理建設，因此在李阿姨住家附近的超商碰面時，所有人都看得出他精神不濟。

「你有沒有睡啊？臉色看起來真糟。」宋幟與不太開心地質問。

「有啦，雖然到天亮才睡著，但是好歹也睡了將近六小時。我天生就是這種臉，別太擔心。」米粟拍拍自己的臉，狀似輕鬆地說道。

宋幟與當然不接受他的說詞，轉頭看向吳梓弄說：「你怎麼沒盯他休息？」

「你怎麼怪我？米粟也不是小孩子了，什麼時候睡、什麼時候醒，我沒資格介入。話說回來不是只有你要來嗎？」

吳梓弄看著站在他身邊的宋幟怡。宋幟怡同樣對他表現出不友善的態度，讓吳梓弄頻頻轉移視線迴避，不禁想著這對堂兄妹對米粟的關心深沉得嚇人。

「這種場面我也得跟才行，怕米粟撐不住。」宋幟怡面無表情地說道。

「不會啦，好好的週末幟怡姊不用特地陪我啊，不跟男友約會多可惜。」米粟對於堂姊堅定的態度，頓時覺得非常疲倦。

「我男友也同意我來陪你比較好。」

宋幟怡篤定的口吻讓米粟無從拒絕，只好切入主題。他看一下手機顯示的時間，距離拜訪時間還有二十分鐘，「現在要出發去李阿姨家了嗎？」

「我們提前也沒關係，李阿姨三點就下班，現在已經在家等待。」宋幟與領著一群人往路口另一端走去。

「你剛剛有跟李阿姨連絡嗎？」米粟急忙追上問道。

「當然，我也怕連絡失誤，出發前已經跟她確認過好幾次了。」宋幟與帶著他們走了一小段路，抵達一棟屋齡四十多年的三層樓老公寓大門前。紅色鐵門旁還有漂亮的盆栽，給人一種舒適的氣氛。

「李阿姨住三樓，聽說是弟弟的房子，她只是借住。」宋巘與邊說邊按下門口電鈴，對講機立刻傳來一道女性的嗓音。

「你們都到了？」李阿姨的聲音沒有任何起伏，甚至有點冷，這讓米栗又更緊張了些。

「包含我一共四個人，希望沒打擾到妳。」負責擔任溝通橋梁的宋巘與口吻相當和善，與平時冷淡的樣子截然不同。

「沒有，反正只有我一個人住。」李阿姨的態度還是很平淡，但是初步對話很和氣，讓人安心一些。

打過招呼後他們就看著鐵門自動打開，宋巘與像個導遊領著所有人上樓。跟隨在他身後的米栗，回憶著剛才堂哥說話的態度，心想這就是營業模式吧。

宋巘與是個很會拿捏相處距離的人，會讓人誤會好像跟他很熟，實際上他只是做做表面，如果認為不適合往來就會讓對方毫無接近的機會。

米栗認為這是由於堂哥從小就在人際關係複雜的環境下長大，所以建立的保護牆雖然透明卻難以攻破，而自己這個堂弟在他的保護下平安成長，或許是該感激。

想到這件事，米栗快一步上前，趁在樓梯轉角處可以接近堂哥時，低聲在他耳邊說：「幟與哥，謝謝你。」

宋幟與看米栗一眼，雖然不明白米栗為何突然道謝，但他喜歡米栗偶爾這種略帶撒嬌的親暱態度，有點活力，不像最初搬來時那樣彷彿被全世界遺棄的孤獨樣子，他心情極佳地摸摸堂弟的頭表示收下謝意。

就在此時一行人來到三樓門口，李阿姨已經打開大門等他們進屋。

「直接進去吧，阿姨在裡面等了。」宋幟與毫不猶豫地直接推門，倒是米栗有些猶豫地停下腳步。

所有人都進到屋內，吳梓弄回頭看見米栗那略微不安的表情，一下子就明白怎麼回事，笑著輕聲說道：「你不進來的話，訪談無法開始喔。」

他知道米栗很緊張，但都到這個地步很難收手了。

「對……」米栗一連點了好幾次頭，深呼吸好幾口氣後才踏進屋內。

他們第一眼就看見坐在客廳，穿著一身休閒寬鬆服裝的李阿姨，她看著四人進屋才緩緩起身說道：「你們好。」

「阿姨好，來打擾妳了。」宋幟與代表大家向她打招呼，所有人才跟著行禮。

李阿姨是個一頭及肩黑髮，年過五十的女性，沒有特別保養卻也沒顯老態，就是這個年紀該有的狀態，沒有滄桑甚至讓人感覺是把生活打理得很好的人。

她平靜地看著所有人一眼，最後視線落在米粟身上。

「就是你吧？要跟我訪談的人，怎麼站這麼後面？」李阿姨態度不怎麼客氣地問道。

「是、是的。」

米粟頓時挺直背慢慢走向前，他可以感受到所有人都在看著自己，就算是關懷的目光還是增加了緊張感。

他突然覺得有點呼吸困難，但終究穩住情緒面對——他是生前調查室的室長，今天此行的目的是為「案零零號，李彤泉」做生前調查，將所有訪談到的回憶整理成冊的任務。

「李阿姨妳好，我是米粟。」米粟做好心理建設後，態度沉穩地打招呼。

李阿姨用打量的目光將他從頭到腳看了一遍，微彎著嘴角卻難以判斷是否有笑意。

「米粟，阿泉也都這樣叫你，問他為什麼都不肯講，故意裝神祕。」李阿姨說完後又坐回沙發上，對眾人說：「都坐下吧，比較好說話。」

米粟還在思考剛才李阿姨提到的事，顯然哥哥對自己的媽媽也隱瞞不少事情。

米粟在吳梓弄的提醒下坐在面對李阿姨的位置，其他人則像是旁聽的觀眾，圍在兩人身邊。

「那個……李阿姨，妳好。」米粟掏出筆記本的同時朝她說道。

「剛剛就打過招呼了，勳丞有事先提醒可能會問到以前的事情，要我冷靜點，他很擔心我跟你吵架呢。」李阿姨對米粟露出挑釁的笑意，讓米粟感到有些尷尬。

李阿姨完全不在乎把氣氛弄得有點僵，盯著米粟的目光仍舊帶著打量的意味，甚至還俯身靠近他想看得更清楚。

「畢竟是同個爸爸，你跟阿泉的眼睛都像到那傢伙，原本以為看到你會很氣，但真正見到面的時候反而很平靜。」

米粟忍不住問道：「李阿姨應該還是很討厭我吧？」

他問得很直接，讓除了李阿姨以外的所有人都挺直背，就怕事情往糟糕的方向發展。吳梓弄甚至開始思考，要不要接手這次訪談的工作。

「自從知道你們的存在後沒有一天喜歡，畢竟那傢伙外遇生了個小孩，難道還要我拍手恭喜？」李阿姨帶著嘲弄的笑意說道，但表情卻有點逗趣，讓米粟感覺她並不是在生氣。

「真的很難喜歡。」米粟露出笑意說道，他見氣氛還可以便低下頭翻著訪談的題目，思考該從哪一題開始問。其他人鬆了口氣，但是目光仍舊緊盯著兩人。

「你之前也過得很辛苦吧？」李阿姨看著他突然問道。

「其實還好，應該說長期以來，我很習慣自己處於什麼立場，既然這樣，那就照自己的心情過日子就好。」米粟微微笑著回道。

李阿姨挑挑眉，眼神裡透露著那麼點欣賞的意味，悶笑一聲說道：「但我還是恨透了你爸媽。」

「我知道。」米粟點點頭。

兩人並非和解，甚至從今以後也不會因為今天這一面有更進一步的交集，他們仍舊是陌生人，只是李阿姨並沒有把怨恨遷怒到他身上。

「不過阿泉並沒有受我影響。當初離婚的時候讓阿泉自己選擇要跟誰，那傢伙的心思都在那個女人身上，這個兒子留不留他一點都不在乎，但後來阿泉卻選擇跟爸爸，我其實有段時間很不能諒解他的決定。」

李阿姨目光放得悠遠，米粟順著她的視線看去，發現放在電視旁的一張母子合照。照片裡的年輕男孩就是李彤泉，瘦高的身影、清秀的五官、偏中性的氣質，從模樣看起來應該是十六、七歲時拍的。

那時他整個人瘦得不像話，所有人都以為只是吃不胖的體質，事實上已經生病了。

「阿姨跟哥哥一起住的那段時間，相處情形如何呢？」

米粟想起多年前那通李阿姨找兒子的來電，很想快點探究真相，但他必須小心翼翼地漸進提問才行。

「糟透了，畢竟當他選擇跟爸爸的時候，我其實心裡一直有個過不去的坎，可是當他說想跟我一起生活時，聽到他無助的語氣我很快就心軟答應，甚至當天就想接他過來住。」

米粟記得這是哥哥十四歲發生的事，快速記錄下一切。雖然他也經歷過這件事，但李阿姨的視角又是不同的故事了。

「還記得他是什麼情況下打電話給妳嗎？」米粟輕聲問道。

「晚上吧，記得他剛升上國中不久，只說跟你爸起了很大的衝突，覺得不能再住那邊，問我可不可以收留他，聲音很可憐。我當時以為他被虐待，結束通話後馬上轉打給你爸臭罵他一頓，很快就達成共識讓阿泉跟我生活。不過後來問阿泉，他說沒有被欺負，只是覺得跟爸爸還有繼母很難溝通。而且他總說在那個家像局外人，比起被動粗，互動上的生疏跟排斥才更痛苦。」

李阿姨停頓一會接著說：「可是他也只說過那一次，不希望我再跟你爸夫妻起衝突。」

「原來那天晚上還發生這種事……」

米粟寫下記錄，重讀這件事的所有細節，確定這是最完整的版本，他摸著那些關鍵字，低聲說道：「對哥哥來說應該很不好過吧。」

「那天阿泉到底對那傢伙說了什麼？我追問過很多次，他都不說。」李阿姨盯著米粟好奇問道。

米粟一愣，猶豫一會才把那天發生的事大致解釋一次。李阿姨聞言卻露出無奈的苦笑。

「他真的這麼說？我還以為他對爸爸外遇的事沒感覺，不然當初為什麼決定跟你們生活。」

李阿姨顯然還是對這件事很介意，米粟也不曉得該怎麼回應，決定把這件事先記下來，希望之後有機會找到答案。

「哥哥很多事情都自己忍著，我也不知道。」米粟聳肩無奈說道。

「連你都不知道啊，看來永遠不會有答案了……」李阿姨失落地靠著沙發低語。

「阿姨，我們之後還會找其他人訪談，說不定有機會問到原因。」

「也好，動丞也說等調查完成收到報告後會給我一份。」李阿姨又露出期待的笑意，剛才的失落隨即一掃而空。

眼看氣氛越來越好，米粟終於鼓起勇氣問出最想知道的事情。

「李阿姨，妳還記得哥哥搬來一起住之後，大概過了四個月左右，妳打來說找不到哥哥，問我們知不知道他去哪的事嗎？」

李阿姨此時面露尷尬與猶豫，米粟看她的反應有些不安，心想難道是提問的時機沒抓對。

「這件事動丞應該知道，他沒跟你說嗎？」

「那天訪談的時候沒有提到這件事，我沒有問他。」

米粟一愣，連忙記錄下來，想著下回要再找羅動丞做一次深度訪談才行。

「我這邊只能透露當時他已經跟動丞往來，而且老往他那邊跑，所以我們起了很大的衝突。而且其實從那天之後，他就幾乎跟對方同居了。」

米粟露出更加呆滯的眼神，這對他來說這又是個震撼的真相，讓他不禁思考哥哥生前究竟隱瞞了多少事情沒說。

## 第十五章

# 意料之外的委託人（五）

「哥哥跟羅先生這麼早就認識了！妳知道明確的時間點嗎？哥哥還跟我們住的時候從來都沒有提過。」米粟微微擰起眉。

哥哥瞞著他太多事情，如今逐一比對出來，由於實在毫無跡象可循，每新增一筆記錄都令他感到吃驚不已。

「勳丞大他一歲，他們大概國小就認識了。後來我才從勳丞口中得知，阿泉小五的時候在班上被霸凌，聽說是複雜的家庭背景讓他常常被取笑，他不示弱也有反擊，因此被無聲的排擠。勳丞會認識他，是某次下課時間撞見阿泉躲在小花園後方偷哭，不忍心過去詢問才逐漸熟識。」李阿姨以帶著含糊的語氣解釋，米粟快速抄寫下關鍵字，並標註當時的年紀。

重新細讀一遍後，他忍不住吐了一口氣。這段時間哥哥還與他們同住，但他卻從不曉得那時他過得這麼辛苦。

為什麼不向他們說呢？是因為說不出口嗎？

米粟安靜好一會，直到吳梓弄輕觸他的手臂提醒，他才回過神來。

「阿姨抱歉，我剛剛在整理資料。接著繼續吧。」米粟勾起淺笑說道，李阿姨點點頭等他繼續。當然在場所有人都知道米粟只是找個藉口緩和氣氛，但都很溫柔地不戳破事實。

「那他們是升上國中後才慢慢發展成情侶關係嗎？」

米栗的疑問換來李阿姨不確定的沉吟。

「我其實不太確定，阿泉國中的時候有過幾個交往對象，都是女孩子。另一方面他國三時候三天兩頭就離家出走，我受不了跟他的班導反應，才發現他都躲在念高一的勳丞家裡過夜。」

李阿姨回憶時臉上帶著強烈的無奈，顯然對這段經歷依然沒有好印象。

「哥哥跟羅先生的關係比我想得還要深……」米栗也難掩失落，這又是件他不問就不會知道的過去。

他現在深刻感受到原來身為生前調查案例的親屬，得知某些意料之外的真相時是什麼樣的心情。

發現親密的人原來有另一個模樣，本來自認很熟悉的人原來是如此陌生。

「羅先生說哥哥高一時他們才開始慢慢確定關係，可是從阿姨的說法來看可能更早，得找時間再跟羅先生確認。」米栗翻看之前訪談的記錄，部分說法對得上，但其他部分又太過模糊不清。

「你上次也沒問這部分嗎？老實說勳丞可能是最了解阿泉的人。」李阿姨停頓一下才婉轉地說：「我最不解的其實是阿泉從國小到過世為止，最清楚他一切的人就是勳丞，他卻還大費周章委託生前調查。」

所有人聞言都皺起眉，隱約感覺不對勁。

吳梓弄低頭陷入沉思，甚至與宋幟與突然有了該死的默契，雙方同時轉頭沒料到卻四目相對，不約而同露出嫌惡的表情別開臉，但各自心裡都明白他們在想同一件事。

米粟則神態自若，點點頭後回道：「或許有遺漏沒問到的地方。這是生前調查過程中最常遇到的狀況，我會再找他訪談。」

「勳丞是個很特別的人，阿泉跟我起衝突時候都是他在調停。雖然一開始我認為是他把阿泉帶偏，但其實誤會他了。可能是由於他們都來自複雜的家庭吧。你有問過勳丞這件事嗎？」李阿姨停頓一會後又問。

「最初只會問基本問題，一般委託人會提供詳細的生平資料，不太確定羅先生是遺漏了，還是刻意隱瞞。」米粟回憶那天訪談的種種，仍舊沒有發現任何疑點，反而在場其他人包括李阿姨都皺起眉。

「阿姨，感覺我應該從與羅先生有關的部分提問，這樣可以取得更多關於哥哥的事情，可以嗎？」米粟想了想決定轉換方向。

這種情形並非第一次發生，必須避免先入為主妄加猜測，一旦內心動搖會影響後續判斷，尤其這次對象是自己的哥哥，他必須更加謹慎面對。

「這倒是可以。」李阿姨接受米粟的建議，直點著頭。

「妳第一次見到羅先生是什麼時候？」

「就是我說跟班導聯合去把你哥帶回家那次。其實是班上的人跟班導說阿泉老跟勳丞混在一起，勳丞也很常說阿泉要去他家玩，才輾轉得知勳丞的地址。」

李阿姨再次停頓，盯著前方那張合照一會才說。

「勳丞居然自己住，而且是住在一間很破舊的單人套房裡。房間裡只有張桌子跟單人床，還有堆得亂七八糟的衣服物品，一個高一的孩子為什麼一個人住？他的家長在哪？這件事是我跟阿泉班導當時同時在心裡冒出的疑問。」

「那時候哥哥在屋內嗎？」米粟輕聲問道，腦海中不禁想像著當時的情景。

「阿泉躺在床上睡覺，勳丞在書桌旁看漫畫，我們突然出現讓他嚇了一跳。

我正想破口大罵，卻被動丞連同班導一起帶到門外並關上門。他要我們小聲點，阿泉已經失眠好幾天好不容易睡著，希望我們別吵醒他。」

李阿姨回憶著當時，語氣特別慢甚至經常停頓下來。

當時應該是令人氣急敗壞的情形才對，但是羅動丞卻有著超齡的表現。一個十五歲少年，可以這麼冷靜應對兩個年長許多的人，令李阿姨印象深刻。

那是個平常日的放學後，李彤泉的導師是個年約四十多歲的女性，與李阿姨算是同輩，她一手擋著氣得快失去理智的李阿姨，一邊與羅動丞了解情況。

「你是北樹高中的學生對吧，幾年級？哪一班？」班導看著羅動丞身上的高中制服問道。

「一年三班，妳是阿泉的班導嗎？聽起來是打算跟我的班導說？」羅動丞淡淡地笑問，一點也不畏懼。

「當然，而且你一個人住嗎？爸媽呢？」班導試圖往後看，但是門已經關上她們什麼也看不到。

「他們各自再婚有家庭了。」羅動丞的回答讓兩個長輩面有難色。

「所以他們不管你了？」李阿姨打量著這個個頭比她高許多的少年。

「不能說不管，畢竟生活開銷還是要靠他們每個月贊助。」羅勳丞有問必答，甚至沒有一絲逃避或心虛，太過坦然反而讓人介意。

「那這個房子呢？是你租的？」班導繼續追問。

「是我爸媽幫我租的，會一直資助我到二十歲為止。老師如果要通報的話，請記得連繫我媽就好，我爸不想管我的事，他們好不容易最近關係緩和一點，如果又為了我的事去打擾，得花時間重新安撫我會很困擾。」

羅勳丞看著李彤泉班導拿出手機做記錄的樣子，擔憂地提醒。

「我明白了。」班導見他很有禮貌，雖然覺得這孩子的狀況不能忽視，但眼下也就順應他的要求，接著話鋒一轉又問道：「你說彤泉失眠是怎麼回事？」

「他以前就有這個毛病，自從搬離爸爸身邊之後狀況反而更嚴重。我問他在煩惱什麼，他也老說沒什麼煩惱只是睡不著。他今天本來打算去上課，但好不容易有想睡的跡象，所以我就勸他留下來睡覺。我以為他有跟阿姨報備。」

羅勳丞搔搔頭，轉向李阿姨彎身道歉：「阿姨，抱歉，是我慫恿他今天蹺課，但他真的很多天都沒睡好，所以等他醒來再處理事情好嗎？」

李阿姨面對他客氣禮貌的樣子，心中的不解與怒氣反而無處可發，但又不願意退讓，只好別過頭不斷地喘呼氣。

她無法直視羅動丞，更難理解對方的說詞，忍不住悶悶地抱怨幾句：「想睡覺回自己家睡不就得了，何必跑來別人家睡，這不是很奇怪嗎。」

「這我也不知道，他說他試過很多方法。」羅動丞無奈地解釋。

「你呢？該不會就這樣陪他蹺課一天吧？」班導接續問道。

「我把房間留給他睡去上課，沒想到回來的時候居然還在睡……」羅動丞回頭看房門一眼。

「他什麼時候睡著的？」李阿姨漸漸接受他的說詞，低聲問道。

「大概清晨四點多吧，我陪他聊天聊到睡著。」羅動丞說完後，三人同時陷入沉默。

李阿姨已經沒有剛才那麼生氣，對羅動丞的態度軟化許多，她遲疑地看了兩人一眼才說：「等阿泉醒來跟他說我有來找他，早點回家。」

「好的，我會催他回家。」羅動丞立刻允諾，李阿姨則轉身與班導致歉，麻煩她特地跑這一趟。

班導一點都不介意，也不忘要羅動丞跟李彤泉轉達明天不准蹺課。

至於羅勳丞本身並沒有犯什麼大錯，雖然她考慮要不要跟北樹高中的導師確認狀況，但想起羅勳丞那困擾的樣子，猶豫再三決定先觀望。

這件事就在羅勳丞的協調下免去一場爭執。

「勳丞是個很特別的人，後來這幾年我漸漸覺得還好有他在，不然阿泉這輩子就真的太孤獨了。」李阿姨從回憶中拉回現實，用著惋惜的口問說道。

「阿姨妳大概什麼時候知道哥哥跟羅先生在一起的？」

「大概阿泉高一下學期最後吧，那時候他幾乎跟勳丞一起住，三天兩頭就往那邊跑，好幾次打電話催他回家都被推託。後來學期結束那天，我剛好找到一份他也可以一起幫忙的短期打工，就問他有沒有意願，他說他考慮看看，但有另一件事想跟我說。」

李阿姨說到這裡，停頓好一會並呼出一口氣才說道：「其實當時聽到他這麼說的口氣，我就隱約察覺不是我想聽的事，但是當下也找不到理由拒絕，我回要說什麼就現在說，阿泉遲疑一下才說要當面講。」

李阿姨眉頭這下皺得更緊，對米栗苦笑說道：「他的態度很認真，我也沒什麼好拒絕的，所以答應了要求。」

李阿姨再次沉浸在當時的回憶裡，顯得有些懷念與無奈地搓手，「暑假第一天他帶著動丞來家裡，椅子都還沒坐熱阿泉就開口說在跟動丞交往，喜歡這個人。」

李阿姨抬頭看著在場所有人，指著宋幟怡與宋幟與坐的位置說道：「阿泉跟動丞就是坐在這個位置，不過我當時受到很大的衝擊，細節記得不多。」

李阿姨說到這裡擰著眉為難地看著米栗。米栗見她眉心越皺越緊，立即出聲安撫，「阿姨不要勉強，如果想不起來就算了。」

「等你有機會跟動丞見面，再問問他細節吧……」李阿姨點點頭，接受米栗的建議，又遲疑好一會才說。

「我只隱約記得先是生氣地抓起動丞的衣領大罵，因為想起阿泉在他家睡覺的事情，當時罵得很不客氣，最後直接把他趕走，可想而知我跟阿泉的關係變得更差。」

李阿姨說這番話時，語氣裡有濃濃的苦澀與無奈，最後垂下肩膀顯露出一絲悲傷。

米栗看著她陷入思索，幾番掙扎後才開口問道：「阿姨妳對羅先生是什麼感覺？一開始很討厭他嗎？」

李阿姨望著米粟許久才說：「就是討厭不起來才讓我感到氣惱。」

「怎麼說？」米粟對於這個回答感到好奇，歪著頭再次追問，卻換來對方難得帶著一絲溫暖的目光注視著自己。

「動丞常常讓我想起阿泉跟你的處境，都由於父母的關係生活不平靜，所以總免不了感到同情。他跟阿泉在一起給我感覺像是滿身是傷的孩子，互相抱著舔舐傷口，所以有時候很氣他拐走阿泉，可是有時候又覺得是大人的關係，才害他們過得這麼辛苦。你也是吧？」

李阿姨話鋒一轉，不知為何將話題帶到米粟身上。

米粟挺直背，難以理解地指著自己，正想出言解釋時，卻馬上被李阿姨打斷。

「我跟你爸離婚後，偶爾還是會聽說你們家的事，以前宋家有幾個親戚還會跟我連繫，我也知道他們對你們母子不太客氣，對我來說你們受到這種對待是活該。」

李阿姨笑了一聲，很坦白地對米粟說道。

「後來你爸媽離世，阿泉也病死了，我突然有機會重新檢視過去這幾年的一切，這也是託動丞的福。他在阿泉過世後，三天兩頭就會來陪我吃飯，完全不計較我以前對他很不客氣的事情，我才突然發現還好阿泉過世前跟他結婚，讓我多了個可以陪伴、一起想念阿泉的對象。但偶爾我也會想起你，想到你現在也是一個人，一想到這些種種，又看著也是獨自活著無法從爸媽身上得到溫暖的動丞，就覺得對你或對他都是無奈多過生氣。當然我還是不會原諒你爸媽的，這點我放不下。」

「我知道。」米粟笑著點頭，兩人就這樣互相看著許久沒有說話。

率先打破沉默的是李阿姨。

「你過得好嗎？」

李阿姨這句提問不帶任何情緒，卻讓米粟不知為何心裡像被輕輕撞擊一下有些痠疼。

「我還好，因為有人陪伴。」

米粟說這番話的同時，目光落向一旁的三人。

陪伴他一起長大的宋幟與和宋幟怡，獨自搬出來住之後認識有點煩又熱心的吳梓弄，他們的存在讓他並不感到孤獨。

「那就好，你一個人也要好好生活，我們這代的恩怨就是這樣了。」

米栗低下頭，慢慢地將這番話抄寫下來，不知為何突然覺得心裡一陣輕鬆。

他重整好心情後，又往下追問：「阿姨可以說說羅先生跟哥哥交往之後的事情嗎？阿姨知道的部分就好。」

「阿泉坦承跟勳丞交往後，剛開始我們關係很不好也經常找不到人，是勳丞主動給我他自己的連繫方式，說如果要找阿泉可以打他的手機。我本來覺得矯情但還是把號碼存起來，直到有次輾轉得知阿泉有一筆費用要繳，但不想讓我知道四處打工籌錢，我才連繫勳丞支付那筆錢。」

「阿姨你怎麼知道哥哥缺錢的事？當時他又是為了什麼事情籌錢？」

米栗不禁皺起眉，以哥哥不喜歡麻煩別人的個性來看，可想而知他用盡多少辦法籌錢，當時尚為學生的他們能賺到的金額有限，鐵定過得很辛苦。

「阿泉班導跟我說他在校時精神狀況很不好，又拖欠午餐便當錢。我每個月都會固定給他一筆生活費，可是以那些錢要獨自在外生活是不可能的，每天打工三個小時也只能勉強打平。還有……經過那那次與勳丞私下連繫，我才曉得他拿一半的生活費幫動丞支付房租。」

「阿姨得知消息時是什麼心情?」米栗很好奇李阿姨當時的想法,照他的印象哥哥高中時班導打過幾次電話來,爸爸都以現在是他媽媽在照顧,沒插手也根本不知道狀況為由直接掛掉。

記得爸爸掛掉電話後總是一副懊惱又憤怒的表情,在宋家越來越不能提起哥哥,就像是禁語似的。

「很無奈啊,我已經沒力氣跟他吵架,知道怎麼吵關係都不會變好。想了想決定偷偷跟動丞要他的轉帳資料,說以後每個月會多給他們一筆錢,看是繳房租還是吃飯都可以,但不能讓阿泉知道,不然他一定會想辦法還我。」

李阿姨朝米栗無奈地笑了笑,反問道。

「你也有跟阿泉連絡吧?你應該也猜得到阿泉真的會這麼做,寧願自己陷入困境也不想跟我求救。而他過得越是困難,就像是在提醒我們這些大人,是我們的錯害他變成這樣。」

她注意到米栗貌似想開口為哥哥辯解,連忙抬手阻止,「這些是我從旁觀察到的感觸,阿泉本身沒有自覺,他只是想獨立生活,撇開宋家與我給他的糟糕童年。」

李阿姨的確猜中米栗想說什麼，而米栗立即鬆懈下來，點頭表示明白她的想法。大概是由於從李阿姨的角度來看，李彤泉生前的親子回憶都不是多快樂的事，導致客廳的氣氛有些沉重。

米栗看著條列的訪談題目，想找點不同方向的問題，他看中一題小心翼翼地開口：「阿姨剛剛說有和羅先生連絡，代表後來你們的關係有變得比較好一些？」

「有慢慢變好，感覺像是多了個兒子，他也很有辦法慢慢拉近我跟阿泉的關係。後來我就看開了，讓他們兩個在外面租房子住，偶爾有空回來吃個飯也好，好像不知不覺間就接受了阿泉喜歡他的事實。」

李阿姨在此時終於露出一抹笑容，顯然想起美好的過往。

「所以阿姨大概是什麼時候接受哥哥跟羅先生的關係？」米栗好奇地追問。

「大概是阿泉高二下學期的時候，我沒有正面回應，而是有天接受動丞的建議，主動打電話給阿泉叫他回來吃飯，記得帶動丞一起。」李阿姨的笑容裡帶著一絲無奈，讓米栗感到困惑。

「跟哥哥約吃飯發生什麼事了嗎？」

「他一開始很抗拒，說我約吃飯不安好心，我們講不到兩分鐘就吵起來，本來的好心情都被破壞，還是勳丞搶過手機跟我約好時間。這下你哥更生氣，認為勳丞袒護我，聽說直到赴約那天兩人足足冷戰好幾天。勳丞說是阿泉單方面鬧脾氣，吃過飯之後就沒事，他知道我的用意，所以很努力拉近我跟阿泉的關係。」

李阿姨想起那天吃飯的情景，這才清楚表露出對兒子的思念。

那天由李阿姨請客，表面上的藉口是那個月工作表現特別好，拿到一筆豐厚的獎金，想找人慶祝所以約了他們兩人。

考慮到兩個正值青春期的男孩子，李阿姨預約了一家風評很好、價位中上的吃到飽自助餐，三人在餐廳門口會合時，可以看得出李彤泉很是不情願，羅勳丞則夾在兩人之間緩頰。

李阿姨耐著性子與兩人互動，所幸餐廳為他們安排靠窗位置，窗外的風景讓這頓飯增添不少氣氛。

羅勳丞食量不小，不愧是還在成長的男孩子，全都夾主菜的肉類跟海鮮，讓李阿姨忍不住提醒：「勳丞你也多吃點菜吧，那邊有生菜沙拉，可以吃一點啊。」

同樣盤子裡都是肉與海鮮的李彤泉剛就坐，聽到媽媽這麼說道，忍不住低聲抱怨：「來這種地方當然要吃平常吃不到的，吃沙拉多浪費。」

李彤泉的音量三人都聽得一清二楚，羅勳丞無聲地吐口氣，已經做好要調停的心理準備。

然而李阿姨一反常態的反應，讓兩名少年訝異地看著她許久，「也是啦，你們多吃肉吧！媽媽沒注意場合，慶祝的日子就不讓你們掃興了。」

「幹嘛這樣看我？多吃點啦，等一下還有烤干貝跟螃蟹。」李阿姨大概知道他們為何露出這種表情，反而感到害羞地別過頭，要他們多吃點。

那一頓他們吃得很快樂，也是李阿姨第一次注意到李彤泉喜歡吃的食物。魚類、培根、焗烤類是最愛的選項，羅勳丞也會替他夾這些料理，喜歡喝可樂和果汁，非常討厭咖啡。

羅勳丞則相反，咖啡和茶類是首選，反而不愛甜度較高的飲料，至於喜歡的食物則相差不遠。

兩人的互動和諧又有默契，全看在眼裡的李阿姨能看出兩人舉手投足之間有著一股淡淡的愛意。

李彤泉當時氣色還很好，完全看不出發病的徵兆，更因為處於熱戀，態度圓融許多。李阿姨就這樣注視著兩名少年，思考了許多事情。

被人愛著的兒子，比起以前因為雙親離異和複雜的家庭背景而時常悶悶不樂的壓抑模樣，此時的樣子很好看。

喜歡同性又如何呢？能被好好地守護和愛著是多好的事情，況且這些年來家裡太多事情，讓她擔心兒子是不是就此不敢談感情。

李阿姨看著李彤泉抽起衛生紙，替羅勳丞擦掉沾在手上的醬汁，這種簡單到不行的動作，讓李阿姨意識到對兒子來說，大他一歲的羅勳丞既是男友也是家人。

她深刻記得當下兒子的模樣，直到多年後現在回想起來，也認為這應該是他人生裡最快樂的時光。

當下她決定不再堅持，覺得兒子的笑容很好看，應該要常常笑才對。李阿姨喝下一口冰涼的果汁後，輕聲溫柔地問道：「你們交往多久了？」

兩名少年嘴裡還刁著食物一臉呆滯，羅動丞先回神用手肘碰了碰李彤泉的手臂提醒。李彤泉慢慢地將炸蝦吞進去，彆扭地回問：「幹嘛突然問這個？」

「媽只是好奇一下，幹嘛那個臉？」

「大概，一年多吧。」

李彤泉扭扭捏捏地說道，聲如蚊蚋讓李阿姨不禁俯身靠近他們一些。

「啊？你說多久？」

「一年多啦！高一的時候。」李彤泉不敢直視她的目光，含糊地又說了一次。

李阿姨聽了微微皺眉看向羅動丞問道：「所以阿泉國三蹺課睡覺那天，就是我跟他班導去找你們那次，還沒在一起？」

「那時候還只是朋友，不過隱約快了。」羅動丞很大方地承認。

李彤泉臉皮薄，才一下子就面紅耳赤，抓著羅動丞的手臂低聲抱怨：「幹嘛跟我媽說這些啊。」

「阿姨在問，要說清楚啊。」羅動丞苦笑回應，看著李彤泉害羞的樣子很想大笑卻必須隱忍，免得讓對方氣得哇哇叫。

「還有剛剛你們說的事情，我怎麼都不知道，什麼時候的事？」

李彤泉皺著眉非常困惑，尤其看到羅勳丞與媽媽一副彼此都懂的表情，讓他難以接受自己像個局外人一樣。

「那時候你在睡覺，後來也沒發生什麼事，反正你有跟阿姨連絡就好。」

羅勳丞快速地交代完事情，但是李彤泉卻還是盯著羅勳丞不放。

李彤泉指著自己低聲喊道：「我居然不知道這件事？連班導都沒跟我說？我當事人哎！」

「抱歉啦，我忘了說。」羅勳丞搔搔頭表示歉意。

李阿姨一眼就看出羅勳丞說謊，不過當時是她與兒子關係最差的時期，如果羅勳丞據實以告只會讓爭執擴大，所以他只要李彤泉向媽媽報平安，除此之外不做任何多餘的事。

不得不說羅勳丞的判斷沒錯，而且李阿姨也有感受到這個少年有誠意幫忙緩和自己與兒子的關係。就是因為羅勳丞的努力，今天才有機會三個人一起吃飯閒話家常。

「哎啊！這也不是什麼大事，反正後來也沒事了。」李阿姨輕輕拍著兒子的手說：「阿泉別慌啦，媽只是關心一下你們現在的狀況，你們好好的就好。還有要常回來，別談戀愛就忘了回家。」

李彤泉聽到這句話，意識有幾秒的空白，以為自己聽錯了，轉頭攀住羅動丞的肩低聲問道：「我媽剛剛說什麼，你有聽到嗎？」

「她要你常回家啊。」羅動丞態度鎮定，甚至一臉李彤泉太小題大作的反應。

「不是，我說——」李彤泉張嘴又闔嘴，花了好一段時間才找回語言能力，略微驚慌地看著自己的媽媽。

「媽，我跟羅動丞都是男的喔，在談戀愛喔！而且妳之前不都認為我們只是朋友？」

「我認同你們為什麼反而被質問？」李阿姨對兒子驚慌失措的反應感到困惑，怎麼跟想像的感人情景不同呢。

「因為……這不像妳。」李彤泉支支吾吾地回道，完全失去平常冷靜的模樣。看在李阿姨眼裡，這反而才是他真實的模樣。

「哪裡不像我？不然你希望我在這裡拍桌，然後跟你大吵一架嗎？」李阿姨冷眼一瞪，換來李彤泉輕輕搖頭否認。

「我沒這麼笨，沒事找妳吵架幹嘛？我只是……」李彤泉猶豫許久，越說越小聲，最後低著頭臉頰簡直紅得熟透，「沒想到妳願意接受，有點不適應……」

「我也想過了，我沒有立場說你這樣不對。當初跟你爸離婚時，還被我爸媽苦勸說什麼為了孩子好、為了我自己好、為了家庭的完整應該忍氣吞聲，但只要一想到那傢伙在外面已經跟另一個女人在一起很多年還有個兒子，就很氣這算哪門子的為我好？當時唯一挺我的只有你舅舅，我跟他討論很久最後決定離婚。」

李阿姨大概說得口渴了，不得不停下來喝下好幾口果汁。她面前的兩名少年從沒想過會聽到這些事情，同時露出目瞪口呆的反應。

李阿姨潤潤喉之後，看著李彤泉那震驚的眼神，想起這孩子因為大人們複雜的關係，從小就過著不愉快的童年，對他滿懷歉意。

「我體會過想離婚時遭到大部分人反對，只有一個人願意支持的孤獨感，老實說我也是最近才想起這件事，然後就想到你。比起來你跟動丞交往沒什麼好反對的，只是你們都還年輕，我希望你們都好好的，學會信任彼此……因為愛而遭到背叛的傷，是很難好的。」

李阿姨聲音嘶啞地說道，不想被孩子們看到她因為悲傷落寞而泛紅的眼眶，連忙低下頭。

後來長達好幾分鐘沒有人說話，李彤泉看著一直低頭抹眼角的媽媽，又看著在一旁安靜陪伴的羅勳丞。

母子都在緩和自己的心情，羅勳丞則很適時找到化解尷尬的時機，看著不遠處的甜點區說道：「我去拿冰淇淋跟水果，轉換一下口味。」

他說完後就離開座位，留給他們獨處的時間，兩人也察覺他的用意，很有默契地轉過頭看著他的背影。李阿姨輕聲問道：「這孩子真的很會看人臉色，到底是什麼樣的環境把他養成這樣的？」

「大概是他爸媽的關係，他爸媽很自我而且從不理會勳丞的感受，只要覺得不被尊重就會以切斷生活費當威脅。」李彤泉悶悶地說道。

「這也太殘忍了……」李阿姨擰起眉望著羅勳丞一會，才又將視線落在面前的兒子身上，忍不住又叮嚀他要回家的事。

「你跟他就好好的相處吧，不過記得要常常回家，又不是沒給你地方住。」

「如果我帶他回去一起過夜，妳會答應嗎？」李形泉縮著肩膀小心翼翼問著。

「可以啊，但只能睡覺不能做其他的事，你舅舅借我住的這間房子隔音很差，隔壁鄰居又很愛八卦，最好注意點。」李阿姨已經平緩情緒，叉起一塊烤雞肉慢慢吃著。

李形泉被她的叮嚀搞得面紅耳赤，低聲說道：「我又不是說這個，媽妳想到哪裡了啦！」

「只是先提醒而已，害羞什麼啦。」李阿姨放下叉子，伸手往兒子眉心輕輕彈指，邊大笑提醒。

「很痛哎。」李形泉摸著額頭抱怨。

「很小力啦，真是的，這麼惜皮怕痛。」李阿姨依然笑著，把事情說開後心情極好，又叉了塊炸魚給李形泉。

李形泉慢慢地放下手，看著媽媽那張笑臉，露出溫柔的笑意說道：「媽，謝了。」

李阿姨盯著兒子露出她不曾看過，拋去家庭帶給他的壓力與寂寞，很真誠開心笑著的表情。

「沒什麼好謝的啦，快吃。」李阿姨揮揮手催促他。

從那天之後他們親子關係好轉，直到李彤泉因病過世。

「幸好那天有機會可以跟阿泉說這些，讓他放膽去愛一個人，享受相愛的時光，不然也沒想到他會這麼早走……」

就在訪談接近尾聲時，李阿姨終於壓抑不住思念哭了出來。

# 第十六章

## 意料之外的委託人（六）

訪談在晚間十點多才結束，剛哭過的李阿姨眼角還有點紅腫，經過一個晚上的相處與米粟的關係拉近許多，還親自送他們到樓下。

「李阿姨，今晚謝謝了。」米粟站在最前頭向她鞠躬行禮。

「如果還有想問的事情，隨時跟我連繫吧。」李阿姨說完後，帶著難以言喻的眼神掃視了米粟全身上下。

這樣的目光讓米粟忍不住問道：「怎麼了嗎？」

「我只是想看看你。雖然我不可能原諒你爸媽，但你是你、他們是他們。以前阿泉經常叫我不要把情緒帶到你身上，剛剛談下來發現你也是這麼做，讓我印象深刻。」

「我就是受到哥哥這樣對待我的影響，雖然聽到妳抱怨我媽的時候，心裡還是有那麼一點刺痛……」

米粟撫摸著胸口露出為難的表情，李阿姨則又再次放聲大笑。

李阿姨停止笑意後，低聲問道：「阿泉真的是個很溫柔的人對吧？」

「很溫柔又很寬容。」米粟輕輕點頭，腦海中悄悄浮現哥哥那抹好看的笑容。

「唉，真想他……」李阿姨惋惜地嘆口氣後才說：「時間真的晚了，你們都快回家吧。」

一行人在李阿姨的催促下離開老公寓，直到轉彎回到一開始會合的超商，米粟終於壓抑不住情緒，低頭落下好幾滴淚。

「我比自己預期的還要想哥哥……」他努力壓住思念的情感嘶啞說著。

三個比他年長的人就這樣靜靜陪伴他平復情緒，吳梓弄順勢看了一下手機顯示的時間，又與宋家兄妹對上眼，三人都帶著相同的想法同時點頭。

「明天週日，今天晚點回去應該沒關係吧？」吳梓弄看著宋幟與問道。

「當然，熬到天亮也可以。」宋幟與說完後，宋幟怡也跟著點頭。

「我們去吃點東西吧！剛剛看到附近有家豆漿店。」吳梓弄指著街道另一端說道。

「米粟要吃嗎？我請客。」宋幟與拍拍米粟的肩膀輕聲問著。

「好啊，順便整理訪談內容，準備敲定下一個訪談對象。」米粟抹抹眼角，已經重振好心情。

吳梓弄見他不想讓大家擔心的態度，感到有些心疼，但顧及對方顏面，僅是伸手揉揉米栗的頭髮。

晚上十一點的豆漿店人聲鼎沸，一行四人挑了最角落的位置。

吳梓弄與宋幟與為了誰請客小小爭執了一番，最後是宋幟怡出手要他們各付各的，並提醒只有四個人不要買太多，才化解掉這件事。

米栗與宋幟怡在桌前等待，遠遠地看著吳梓弄與宋幟與兩人在點餐臺前疑似又吵了起來，而盤子上充滿堆高的食物，顯然是忘了剛才的叮嚀。

宋幟怡摸摸自己的水晶指甲低聲笑道：「他們兩個人性格完全不一樣但作風卻很像，尤其是不服輸這點。」

「超像，他們好像兩隻貓一樣，會盡量迴避出現在同個場合，兩個人都跟我說過不要讓對方知道自己在學校的事情。」

米栗朝堂姊露出無奈的笑意，宋幟怡則聳聳肩一副不意外的模樣。

「哥哥老愛跟爸爸抱怨希望你回去，明明家裡對你不差為什麼要自己住。」宋幟怡翻了個白眼補上一句，「每一天。」

米栗跟著露出苦笑，「哥哥還沒放棄啊，反正住得離你們又不遠，想找人也隨時可以連繫，我又不是搞失蹤。」

「不一樣啦。」宋幟怡搖搖頭解釋：「一起生活的話就算沒留意你在幹嘛，也能確認你有好好活著。」

「什麼叫好好活著？我也是會自己打理生活的。」米栗注意到吳梓弄與宋幟與端著一大堆食物準備結帳，光看就覺得快胃脹氣了。

「還有吳梓弄讓他產生你好像快被搶走的危機感。」宋幟怡又補充道。同時手機發出訊息通知音效，她連忙低頭察看，從不自覺露出的甜蜜笑意可以猜到是男友傳來的訊息。

「什麼啊，他為什麼會有這種想法？」米栗皺著眉，對堂哥的過度關心感到充滿壓力。

「其實彤泉哥幾年前曾私底下連繫過哥哥。」宋幟怡看著兩人還在排隊等結帳，手掩著嘴低聲說道。

「這件事我怎麼不知道？」米栗茫然地反問，既意外又震驚。

「當然不好意思說嘛。」宋幟怡笑了笑，早猜到米栗會有這種反應。

「所以妳知道他們談了什麼嗎？」米栗帶著期望的眼神問道。

「那時候你剛搬來跟我們住不久，彤泉哥是來拜託哥哥多照顧你。那通電話講很久，哥哥還抱怨沒想到那傢伙這麼多話，都在嘮叨你的生活習慣，愛吃的、討厭的、害怕的。他無非就是希望我們可以接納你，不過不想讓你知道這件事，可能覺得害羞吧。」

宋幟怡輕拍米粟的背安撫，還不忘提醒：「我們私下說說就好，別讓哥哥知道我說了這些，不然他會罵我。」

「好，我會保密。」米粟作勢擋住自己的嘴。

看著已經結完帳的吳梓弄與宋幟與兩人，他不禁想像哥哥跟堂哥通話的情景，強烈希望如果當時能親眼目睹，成為珍惜的回憶那該有多好。

「好啦，開吃！」吳梓弄將食物放到他們面前，快速就坐熱絡地喊道。

「你們買太多了吧。」宋幟怡看著滿桌的餐點，拿起一盤蛋餅慢慢享用。

米粟沒有說話，笑著拿取想吃的餐點，不意外招來宋幟與叮嚀：「吃太少了吧！好歹多吃個熱狗或薯餅。」

吳梓弄顯然想說相同的話卻被搶先，只能安靜地看著。

「好啦，我怕吃太撐等一下睡不著。」米粟拿過豆漿喝了幾口解釋。

四人短暫安靜一會後，吳梓弄開口問道：「米粟你接下來有什麼打算？要再去訪談羅動丞嗎？」

「還不行。」米粟吃下一口薯餅後，淡淡說道。

「李阿姨剛剛很明確說羅動丞應該是最了解形泉學長的人，對照上次的訪談記錄，應該可以問出更多吧？」

吳梓弄對米粟的決定感到不解，而米粟則帶著猶豫的目光掃視所有人。

「你有什麼考量嗎？」宋幟與見他沉思猶豫低聲問道。

「我認為現在去追問，羅動丞也不會願意跟我們說這麼多，而且……我覺得有點奇怪。」

「哪裡奇怪？」吳梓弄擰眉。他已經吃光盤子裡的食物，準備往第二盤下手。

「阿姨說羅動丞知道很多事情，但他的態度明顯有所隱瞞，或者他是那種沒有明確提問就不會主動提起的人，所以我打算訪談過周遭其他人後，再約他做一次詳細訪談。」

米粟夾起一塊蛋餅慢慢咀嚼，眼神放空陷入思考，接著似乎想到什麼，轉向吳梓弄問道：「梓弄哥你還有認識其他跟哥哥比較熟的人嗎？他高中時期有沒有你也認識的朋友？」

「嗯……是有幾個。」吳梓弄眨眨眼，腦中跑過好幾個人的面孔。

「你跟他們還有連繫嗎？可以幫忙問問看有沒有意願接受訪談嗎？」米栗雙眼閃閃發光。

吳梓弄沉默數十秒後，才開口說：「形泉學長有個很要好的朋友，雖然沒有加入搖滾音樂社，但聽說創社過程幫了很多忙，而且還是能力優秀的學生會成員。」

米栗聞言嘴巴不禁微張，沒想到他們兄弟跟上耘高中學生會特別有緣。他暫時撇下心中的感慨追問：「是誰？」

「之前還有稍微聊過天，我看看。」吳梓弄拿出手機翻找，在在場所有人的期待下看到熟悉的名字。

「夏偉振學長，你哥的同班同學兼執行力超群的班長，還是游泳校隊和學生會成員。他被推舉進學生會之後，連續當了兩屆副會長。雖然一堆職務，但他課業完全沒有受到影響，成績一直很好，也經常跑來搖滾音樂社玩，創社時還有幫忙招人。」

吳梓弄以帶著幾分尊敬的口吻介紹此人。

「那……」米粟話還沒說完，吳梓弄就已經點開對方的帳號，「當然會連繫看看，他現在大四，在北部念大學。」

吳梓弄說完的同時已經按下撥號鍵，他的動作太快，眾人還來不及反應，對方已經接起。

「偉振學長，晚安啊。我有點事情想請教，這幾天有空嗎？這週剛好回家？那約明天見面？」

吳梓弄快速寒暄幾句就切入正題，甚至很快就得到好消息。通話不到五分鐘就結束，他已經一氣呵成敲好時間地點，放下手機後安心地喘了口氣，吳梓弄帶著陽光爽朗的笑容說道：

「明天上午九點在他家樓下早餐店。米粟你能去嗎？如果不行給我題目，我單獨赴約。」

米粟幾秒後才回過神，攀著吳梓弄的手臂不斷央求：「我可以去！我能去！但要麻煩你明天叫我起床。」

吳梓弄勾起笑意，帶著一點自滿點頭說道：「好啊，但你得答應我之後都不准挑食，乖乖吃飯。」

米栗聞言立刻皺眉，卻也別無選擇只能答應他的條件。

「米栗，你可要說到做到啊。」宋幟與不忘轉向吳梓弄說道：「如果他又不按時吃飯，隨時跟我們說，一起盯他。」

「沒錯。」宋幟怡輕拍桌子贊同。

米栗對這三人站在同陣線的情景毫無反抗餘地，雖然他不喜歡被別人掌握把柄的感覺，但是為了補足哥哥的生前記錄也只能妥協。

假日人們起床的時間比較晚，週日早上九點的早餐店內只有零星客人，已經在店內等待的夏偉振替他們挑了角落靠窗的好位置。

「偉振學長，早安啊。」負責連繫的吳梓弄成了主導的角色，帶著睡眠不足的米栗與夏偉振碰面。

「早啊！」夏偉振彎身往後探看吳梓弄身後的米栗，帶著爽朗的笑容招呼：「你就是阿泉的弟弟嗎？你好，終於見到了。」

「你好。」米栗生疏地向對方點頭，面對馬上能與陌生人積極互動的人，他總是無法掩蓋怕生的個性。

為了使訪談順利，他不停說服自己得迅速拋開本能反應，強迫自己與對方多些互動。

夏偉振依然盯著他打量，不過笑咪咪的表情米栗並不感到厭惡。就在米栗打算多寒暄幾句時，夏偉振率先說道：「你跟阿泉真的很像，之前只看照片就有這種感覺，而且你哥很喜歡別人這麼說。」

米栗聞言不禁抓緊背包肩帶，這陣子很密集從第三者口中聽到哥哥對自己的回憶，讓他總得壓下激動的情緒，忍不住想著要是能親耳聽到該有多好，但另一方面正是哥哥對第三者訴說，這種感觸才特別真實。

「我也很喜歡別人說我跟哥哥很像，這是我們真的是一家人的證明。」米栗看著這名高大爽朗的男性忍不住回道。

「快坐，我請你們吃早餐。」夏偉振招呼兩人就坐，熟練地遞過菜單，親切介紹這家店的招牌餐。

吳梓弄利用點餐後的空檔快速交代前因後果，三人很快就進入正題。夏偉振帶著不敢置信的微笑對米栗說道：「居然這麼巧，你剛好租到梓弄家的房子啊。」

「我不太確定這樣到底是好還是不好。」米粟皺起眉低聲說道，一想到每天被盯著吃飯便感到疲倦。

「怎麼會不好？」夏偉振對吳梓弄露出一抹讚賞的笑容，緊接著又說：「梓弄以前在社團就是出名的最強支援，很多活動都是靠他幫忙撐起來的，所以你哥特別信任梓弄。」

「就是這樣形泉學長才老是把困難的工作丟給我啊。」吳梓弄苦著臉抱怨。

此時餐點逐一上桌，三人先是吃了幾口才繼續交談。

「夏學長……我就直接開始問問題可以嗎？」米粟才沒吃幾口火腿蛋土司，心思全都放在生前調查的訪談上。

「儘管問吧，梓弄已經先跟我說明了。」夏偉振吃著早餐親切回應。

「你跟哥哥是怎麼認識的？」米粟滿懷期待地問道。

「高一時我被選為班長，老師要我直接指定副班長，我在臺上掃視一圈，剛好看到你哥轉過頭不想跟我眼神接觸，當下覺得不應該放過這傢伙，就挑他當副班長。」

夏偉振說到這裡，輕笑一會才繼續說道：「起初我以為阿泉應該是個安靜溫柔好配合的人，沒想到……」

「沒想到什麼？」米粟見夏偉振沉吟許久，非常好奇地追問。

「班會一結束，他直接殺到我面前質問，而且態度有點強硬。」偉振苦笑著說道。

米粟則面露茫然地盯著他，「我有點想像不出哥哥強硬的樣子。」

這番話換來兩人溫柔的目光，夏偉振以彷彿長輩看孫子的眼神說：

「阿泉真疼你，他看似溫柔其實很固執，我也沒想到他會直接責備我捉弄他。他說副班長這種職位很困擾，只想低調度過高中生活，我也只好拚命道歉。然後我發現阿泉其實很容易心軟，他本來還說要跟導師要求換人，但我很努力放低姿態，最後他就這樣接下副班長的工作。」

「想低調過日的人怎麼會成為搖滾音樂社的創始成員？中間到底發生什麼事了？」吳梓弄聽到這裡急得舉手發問，頓時也顧不了米粟才是話題的中心。

「其實他是被拜託的。」夏偉振搔搔臉苦笑。

「一開始是班上幾個要好的同學想組玩票性質的樂團，知道阿泉小時候學過鋼琴就拉他入伙。等湊到人可以組團時才發現沒有主唱，唯一歌聲還可以的阿泉又很堅持只負責鍵盤，就這樣僵持不下。本以為樂團可能就此夭折，是我提議不然申請成立社團招收新成員，總會找到歌喉不錯的同學。那時阿泉的表情實在太有趣，如果當時有錄影就好了。」

夏偉振惋惜地搖頭。米栗聽得越來越入迷，連餐點都忘了吃，「為什麼？」

「他很掙扎，一方面覺得這件事很有趣，可是申請成立社團一定既花時間又有許多挑戰，最後在包含我在內當時所有成員的注視下，勉為其難答應送出申請表。其實整個成立過程阿泉是出最多力的人，他大概有偶包，一副好像與世隔絕的模樣，很多時候又想跟大家拉近關係，然後很彆扭地把場面搞冷後，就會面紅耳赤。所以阿泉還有個暱稱叫紅燒麥力，不過他本人很討厭這個暱稱，所以我們不會在他面前說。」

夏偉振露出得逞的笑意。

米栗與吳梓弄聞言立刻伸手摀住嘴，想笑又顧及李彤泉的面子努力憋住。

吳梓弄後來乾脆放棄直接大笑，米栗則過度隱忍，整張臉泛著苦澀，費勁力氣才平緩情緒，「跟我印象中的哥哥差好多……」

夏偉振沒有馬上回應，而是盯著米栗一會，「就像你現在這樣，外表看似平靜內心卻波濤洶湧。阿泉真的很有意思，高中三年的時光裡能跟他當好朋友真的很開心。」

夏偉振看著眼前的米栗，不斷被拉回數年前的回憶裡，對大四的他而言，高中生涯已經是好幾年前的事。

夏偉振自認在李彤泉誤打誤撞成立搖滾音樂社的過程裡沒幫上很多忙，他只是剛好是上耘高中學生會的成員。對他來說擔任學生會成員遠不如小時候看的小說或漫畫那樣有趣，除了行政事務以外，就是利用有限的經費規劃活動。

高中社團存在著階級差異，能為學校取得榮譽的競賽型社團最受校方關注，例如他自己所屬的游泳校隊。這也是夏偉振加入學生會還當上副會長的原因，他是學生會裡運動社團的代表之一。

至於搖滾音樂社只是個可有可無，看似以玩樂性質為主的社團，加上校內已經有正規的管樂社，所以申請最初差點被駁回。於是夏偉振利用做為學生會一員的權限，逐一說服大家同意成立搖滾音樂社，甚至爭取到社團教室和經費。

高一下學期開學不久，搖滾音樂社終於正式成立，還是夏偉振親自將社團成立文件送到李形泉手上。

「恭喜！接下來要補交社團活動規劃表，反正你都知道，應該不需要多說吧？」

李形泉接過文件，看著夏偉振念念有詞，明顯在罵人。平日在班上被視為冷靜理性代名詞的李形泉，在夏偉振面前就像是個愛耍賴的小孩子。

夏偉振經常思考之所以能看到李形泉這一面，大概是入學時候就已經激怒過他，讓對方可以毫無包袱地展現真實的一面。

不過這也讓夏偉振再三確定，這個聰明又難以接近的傢伙，大概是有很重的偶包。

至於李形泉是在誰的心中被視為偶像，夏偉振猜想應該是那位他經常提起的弟弟，畢竟那是少數看到李形泉露出開心笑容的時候。長期相處下來，夏偉振對這傳說中的弟弟更加好奇，希望總有一天能見上一面。

「你想罵就罵出聲啦，這樣嘀咕也不舒爽吧。」夏偉振停頓一下看了看周圍，「現在只有我們兩個，就罵吧。」

李形泉撇撇嘴，用比剛才大一些的音量罵道：「麻煩死了！啊！沒事搞這個幹嘛呢，氣死我了！」

「當初你明明有機會推掉的。」夏偉振無奈地聳聳肩。

「被團員們用哀求的可憐眼神注視，根本狠不下心拒絕。」李彤泉不悅地抱怨著，但視線一直落在手中的文件上，認真讀著內容。

「就說你容易心軟還不信。」夏偉振看他口是心非，笑著提醒。

「我選擇性心軟啦！」李彤泉已經讀完文件，小心將其收進資料夾裡準備離去。

「還有這種的？是說你要去哪裡，放學不回家嗎？」夏偉振與他並肩走回教室。

「我跟房東約好要看房子。」李彤泉漫不經心說著，慢條斯理地收拾書包。

「你還是決定要搬出去住啊？」夏偉振皺著眉，他偶爾會聽李彤泉抱怨媽媽，但沒想到如此嚴重。

「我只是想找個可以躲避的據點，而且另一個朋友急著找房子，相中的又都是三房兩廳，需要有人一起分租才付得起，所以我想幫點忙。」李彤泉拿起手機忙著回覆訊息。

「校外的朋友？」

夏偉振偷偷看了一眼，李形泉似乎正與剛剛提的友人連繫的樣子。畢竟李形泉除了跟夏偉振還有樂團成員比較有話聊之外，跟其他人都不太熟，如今有個想一起租房子的朋友很是讓人好奇。

「你笑得好怪，幹嘛？」李形泉見他又露出當初指名他當副班長的笑容，馬上起了戒心。

「今天剛好游泳校隊練習休息，可以陪你去看房子嗎？」夏偉振帶著和藹可親的笑容問道。

「難得休息就去做想做的事吧。」李形泉沒好氣地瞪他一眼。

「關心副班長的私事就是我現在想做的事。」夏偉振過於理直氣壯，讓李形泉再次嘴裡念念有詞許久。

「我一定是上輩子得罪你才會一直被煩。我問問我朋友，他答應我就無所謂。」李形泉百般不願地說道。

「好。」夏偉振露出一抹得逞的笑容。李形泉因為在通話中，只能用眼神抱怨。

對方並不介意夏偉振參與，約好三十分鐘後碰面，這也是夏偉振第一次見到比他們大一歲的羅勳丞。羅勳丞穿著北樹高中制服，比他們高大許多，但體格略嫌單薄。

「你好，還麻煩你跟來，我們和房東約好現在要去看房子了。」羅勳丞非常客氣且成熟，感覺是很照顧人的類型。

儘管羅勳丞的態度比李彤泉大方許多，夏偉振第一眼就覺得這兩人氣質特別相近，而且並肩站在一起時能隱約察覺他們不是單純的朋友。

「你怎麼認識北樹高中的人啊？」夏偉振很直接地問道，在這之前他已經先向羅勳丞打過招呼，因此氣氛不怎麼尷尬。

「我們小學就認識了啦，連這種事也要跟，沒見過這麼雞婆的班長。」李彤泉瞪了夏偉振一眼，羅勳丞則輕拍他的手臂表示不介意。

短短幾秒夏偉振就確認兩人的關係真的很特別，而李彤泉在羅勳丞無聲提醒後，態度也溫和許多。

「是說我聽阿泉說，你們還缺室友？」夏偉振與他們邊走邊聊。

「雖然我跟阿泉分擔還過得去，但如果再多個室友分攤房租就能減輕更多負擔，不然就得再多找一份打工了。」羅勳丞望著面前整排老公寓嘆息。

這裡是北樹高中與上耘高中的中間位置，鄰近許多商店甚至有夜市和賣場，都是三十年以上的老房子，因此租金還算合理，不過對只能靠打工賺錢的高中生來說就吃力許多了。

夏偉振暗自疑惑是什麼情況需要羅勳丞打工賺生活費，想著這些事情時不禁放慢腳步漸漸落後，抬頭就看見李彤泉與羅勳丞正在交談，還發現李彤泉無意識拉著對方的手臂。

在這一刻，他幾乎確定他們肯定不是單純的朋友，也察覺他們的成長背景異於常人。難怪會這麼親近，因為是在相同的世界裡。

夏偉振撇撇嘴，突然感覺好像被排除在外，也終於理解李彤泉在班上始終格格不入的原因。

房東已經在公寓大門前等待，態度很是親切不會讓他們感到有壓力。

這棟公寓總共有四層樓，要出租的是二樓，格局為三房兩廳獨立衛浴，可以在屋內開火煮食，還附有幾樣基本家具，是適合給小家庭生活的空間。

羅勳丞與李彤泉非常喜歡，但租金讓兩人頻頻皺眉偷偷討論。

夏偉振獨自在屋內繞了一圈，與房東聊過天後默默來到兩人身後，悄悄聽他們苦惱地討論著。

「這裡真的很完美，可是租金實在太吃力，你已經不能再做更多兼職了，不然還是昨天那間？」李彤泉有許多顧慮，正在苦勸羅勳丞。

「不要吧，昨天看了一遍發現對面跟樓上鄰居有點問題，安全至上。」羅勳丞立刻否決他的提議。

李彤泉洩氣地看羅勳丞一眼，兩人就這樣無奈對視幾秒，看來是決定放棄租下這裡。夏偉振趁他們開口前突然出聲：「不如我跟你們一起租，三人分擔應該就租得起了吧？」

羅勳丞與李彤泉立刻轉過頭，用相同震驚的目光看著他。

「怎麼了，我弄錯了嗎？」夏偉振對於他們的反應感到不解。

「你怎麼突然說這個，而且你不是住家裡嗎？可以隨便就搬出來住，不跟爸媽商量？」李彤泉一連拋出好幾個疑問，卻換來夏偉振微笑以對。

「你不也是跟媽媽賭氣，擅自要出來自己住？」夏偉振這番話將李彤泉堵得語塞。

三人沉默一會，李彤泉回過神來咬牙切齒想回嘴，羅勳丞馬上伸手阻止，「冷靜點。」

羅勳丞有些嚴厲的口吻，讓李彤泉不怎麼甘心地往後退一步。羅勳丞帶著幾分期待的眼神，似乎完全接受提議，「你確定要跟我們分租嗎？剛剛聽起來你是跟家人住，不用先報備嗎？」

「我有很多理由可以說服他們，而且我爸媽還滿開明的，只要說清楚通常不會反對，至於房租他們也會幫忙負擔，大可放心。」夏偉振堅定的態度給他們很大的信心。

李彤泉雖然依然覺得這傢伙有點煩，但這個決定的確幫了他們大忙。短短幾分鐘內，三個人決定共同租下這裡，並在數天後陸續搬進去。

夏偉振沒想到他們居然就這樣一起住到高中畢業，雖然共同生活期間免不了有些小摩擦，但為了能繼續在那間舒適的小窩住下，他們努力克服了一切問題。

然而最讓夏偉振印象深刻的，就是羅勳丞與李彤泉終究還是藏不住情侶關係。

夏偉振早就知道他們在交往，只是裝作不知道安安靜靜地從旁守護，不想讓他們感到尷尬，然而這份和諧卻在某個週六下午被破壞。

他事後一直很後悔那天為何要推掉游泳校隊的聚餐，否則就不會把局面搞得那麼尷尬。

他週五打了整夜遊戲直到天亮才入睡，下午兩點舒爽地起床，一邊想著先把這週累積的髒衣服洗乾淨，一邊盤算要煮泡麵當作今天第一餐。

就在抱著一籃衣服前往放有洗衣機的後陽臺時，恰巧狀見羅勳丞與李彤泉緊緊熱烈相擁的情景，讓夏偉振一時腦袋空白不知道怎麼反應。

兩人也馬上察覺有人出現，立刻嚇得推開彼此，尷尬地與他對望。

「你們慢慢來，好了再跟我說，我得洗衣服。」夏偉振抱著洗衣籃轉身回房，看似平靜其實飽受驚嚇。

等他冷靜下來後，便開始思考該如何面對這兩人，畢竟已經無法繼續裝作不知道，卻又不希望破壞現在和平的關係。

靠著臥房門板的夏偉振望著懷中的洗衣籃陷入苦惱，「這下麻煩了，得想想辦法才行……」

## 第十七章

# 意料之外的委託人（七）

夏偉振認為如果這件事記錄在個人回憶錄裡，大概可以榮登人生最尷尬時刻排行榜前五名。

就在撞見羅勳丞與李彤泉在後陽臺擁抱後，直到傍晚整間屋子都瀰漫著一股奇怪且壓抑的沉默。如果是平時羅勳丞會找他去客廳打遊戲，一起叫披薩外送快樂地吃吃喝喝，度過美好的週末。

夏偉振待在房間內邊玩手遊邊思考該如何是好，突然聽見房門外傳來走動的聲音，心想絕對不能再這樣下去，決定主動打破這個局面，隨即扔下手機起身。

開門的瞬間，恰好看見拿著馬克杯正要打開房門的李彤泉，兩人四目相接。

李彤泉感到彆扭，馬上別過臉迴避，夏偉振瞥見羅勳丞坐在他臥房的床鋪上。光是這短短幾秒，夏偉振馬上就能猜測出兩人剛才大概也在討論相同的事情。

李彤泉沒了平常與他鬥嘴的笑鬧態度，夏偉振直接搭住李彤泉的肩膀，對方像是受驚嚇的小兔子嚇了一跳，「幹嘛？」

「剛剛那種情況我沒辦法裝作沒看到，我們三個談談吧。」夏偉振用讓羅勳丞也能聽到的音量說道。

「談……」

李彤泉下意識往臥房內看，羅勳丞早就察覺動靜來到門口，三人就這樣互看了一眼。

「畢竟還要當室友，不說清楚的話會窒息而死。」夏偉振認真地說道。

「哪有這麼誇張……好吧，你要在哪裡談？」李彤泉低著頭，但並沒有拒絕提議。

「你的房間吧！」

夏偉振說完後，羅勳丞讓開一條路讓他進門。

三人就這樣擠進李彤泉的單人房裡，三個高中生一下子讓房間變得有些窄小。

夏偉振鮮少到李彤泉的房間打擾，還是第一次能仔細觀察屋內的情況。單人床上有兩顆枕頭，還有一些成對的生活用品，透露出羅勳丞經常來這裡。

夏偉振就在隔壁當鄰居，偶爾會聽到細微的交談聲也盡量不去打擾，原本以為可以默默陪伴到三人分租生活結束，看來命運喜歡刺激點的安排。

他一邊思考一邊盤腿坐在地上，羅動丞自然地坐回床鋪上，李彤泉則抓過書桌前的椅子坐下。

夏偉振感受到兩人都在等他開口，深呼吸口氣才打破沉默，「其實我早在跟你們一起來看房子的時候，就隱約覺得你們應該在交往。」

「啥？」李彤泉與羅動丞不約而同喊出聲，又看了彼此一眼，雙雙面露意外的反應。

「有這麼明顯嗎！」李彤泉臉色迅速漲紅，甚至用手遮住臉。

「你對待我們跟對待阿羅的態度完全不同，我看過我哥哥姊姊談戀愛，就像你這樣子。」夏偉振思忖幾秒，帶著玩笑的口吻說道：「對深愛的人超級偏心。」

「哪有！」李彤泉立刻反駁，一旁很少說話的羅動丞帶著微笑看他們對話。

「每次吃鹹酥雞你都把肉留給他，我上次想多吃一點還被說多留點給阿羅，你好意思說沒有喔？」夏偉振指著李彤泉吐槽。

「那是因為動丞晚上要打工，回來一定會肚子餓，想留點東西給他吃。」

李彤泉大概也覺得這個理由太過牽強，越說越小聲，甚至招來夏偉振看戲的嘲笑。

「還說沒有偏心，怎麼從沒聽過你擔心我肚子餓？」

「你自己就能弄吃的，我幹嘛擔心你？」李彤泉面對指控不滿地反駁。

夏偉振扯扯嘴角轉向羅勳丞說道：「這就是我說的對朋友跟男友的差別，有夠偏心！而且我還經常看到你們兩個互相幫對方洗衣服，跟老夫老妻一樣。」

「原來你都有看到啊，好恥。」羅勳丞相較之下沉穩許多，但仔細觀察還是不難發現他的耳尖微微泛紅。

同時氣氛也逐漸不那麼尷尬，夏偉振看著被戳破而臉頰發紅的情侶黨，收起開玩笑的態度，改以真誠溫和的笑意看著他們好一會。

「你想說什麼就說，這樣看著我們笑很奇怪。」李彤泉被盯得很不自在，抓起床上枕頭往夏偉振扔。

夏偉振精準地接下攻擊，抱著那顆枕頭說道。

「我只是想說不要覺得尷尬，我們還是朋友，你們在交往的事情我一點都不介意。啊，唯一的要求就是在我面前放閃的時候收斂一點，單身的人很脆弱的。」

夏偉振最後的要求是真心的，他至今還沒談過戀愛，這兩人默契絕佳的互動對他來說就像聖光一樣閃耀，閃得他眼睛痛。

羅勳丞被他逗得哈哈大笑，不斷點頭說道：「好，我會收斂的，也會叫阿泉不要太常發情。」

「什麼發情！亂講！」李彤泉轉頭對羅勳丞咬牙罵道，但看著男友與好友都在大笑的情景，不禁也跟著笑出聲。

不久前那樣陰沉到快窒息的氣氛已經煙消雲散，夏偉振甚至看到李彤泉卸下不安的瞬間。

一切說開之後他們三人依舊維持室友的關係，雖然他偶爾還是會不小心撞見羅勳丞與李彤泉打情罵俏，但久而久之就習慣了，甚至這對情侶吵架時還得充當調停勸和的角色。

「不過他們吵架次數很少，真的吵起來通常是很重大的事情，還有你哥哥的身體狀況。」

夏偉振原本愉快的口氣漸漸變得落寞，甚至有好幾秒沒有說話。

「哥哥那時候身體就已經有狀況了嗎……？」

夏偉振抬起頭看著米栗悲傷的眼神低聲說：「我是在阿泉過世才發覺當時那些都是跡象，他們兩個隱瞞得很好，讓我以為阿泉只是身體比較弱，直到他病況惡化過世前半年才知道這件事。」

夏偉振別過頭，大大地嘆了好幾口氣，想起當時的情境不禁感到氣惱，很想罵罵這對悶聲不說的夫夫。

可是當他得知事實前去探病，看到李彤泉因化療而爆瘦憔悴的病容時，所有的憤怒全都化為心疼。

「阿泉經常推拒大家去探病，甚至常說打電話就好不要開視訊。我們這些已經有預感他可能待不久的朋友，想的是見一次少一次，每一秒都很珍惜，可是有時候特地帶補品給他，還會被擋在門外只讓阿羅跟我們接觸。」

夏偉振撇撇嘴望著兩人，帶著苦笑解釋：「就說阿泉有偶包，在這時候特別明顯。」

「為什麼？」吳梓弄與米栗同時提問，他們想不透李彤泉拒絕探病與偶包有什麼關連。

「我有次晚上去探望他們，阿羅說阿泉已經兩天沒睡好覺好不容易才入睡，希望不要吵醒他，我就答應阿羅的要求在客廳喝點小酒聊天。大概是有點酒醉阿羅比較願意說真心話，他坦承是阿泉不想讓人看到生病的模樣，希望我們記住的是自己還很健康的樣子。當時我和阿羅都笑了，我還說『他這不叫偶包不然是什麼？』可是那個晚上我們兩個笑得比哭還難看。」

夏偉振再次停頓，仰著頭不讓悲傷淹沒自己，但對他來說太困難了。

「我們都有預感他撐不久了。這是我第一次這麼近距離感受一個人的生命正一點一滴的不見，體力越來越差，連說話都越來越沒力氣，所以想珍惜朋友還活著的每一刻，可是阿泉已經在思考離開後要留下什麼給我們。記得那段時間阿羅說你也想來看看他，可是都被拒絕甚至還隱瞞病況對不對？」

夏偉振輕聲問米粟。

米粟看著對方落寞的眼神輕輕點頭。夏偉振摸摸米粟的頭安撫他，這個舉動還讓米粟感覺像是同樣心情的人互相安慰著。

「我跟哥哥連繫的時候，他總是說沒那麼嚴重不要聽親戚亂講，說是本來腸胃就不好，要我專心應付課業，有空打電話就好。」

米粟回憶起這段日子不禁垂下肩膀，握著筆的手微微顫抖著，停頓好幾秒才繼續說。

「我一直到他過世前一個月才知道已經很嚴重，幾乎是醫院家裡兩邊跑。他終於願意讓我去看看他時，整個人已經瘦得臉頰都凹陷了。看到那個狀況真的很沮喪，但現在聽你這麼說，發現哥哥最後想留給我的就是他健康的樣子吧？夏學長說得對，他有偶包而且很嚴重，我這個弟弟還真把他當偶像，太為難他了。」

夏偉振微笑看著米粟好一會才說：「阿泉真的很在意你，努力維持形象也是為了你，如果他知道你現在四處訪談得知一些他不想說的事情，應該會入夢罵我吧。」

「如果他能入夢罵罵我也好，就算是在夢中見面也很開心。」米粟淺笑著緩緩嘆口氣後才說：「我從來沒有真的夢見他，你有夢過嗎？」

「他剛過世那週我夢過幾次，夢到我們高中租屋的時候，三個人坐在客廳看電視吃喝打遊戲，我們以前很常這麼做，只要阿羅休假的日子就會特別放縱。回想起來那是最快樂的時候吧。而且阿泉一直不敢跟你透露跟阿羅的事，說不知道弟弟會怎麼看他，所以選擇不說。」

「什麼啊，他過世後我知道這件事才生氣，為什麼要擔心這種事呢？」

米粟最初得知羅勳丞與哥哥的關係時那抹失落感又湧了上來。

「他說不敢看你的反應，所以我就說他有偶包。他肯定沒想到在過世後，親愛的弟弟居然開始調查他生前的一切，說不定很慌張喔。」夏偉振還故意左顧右盼一下，帶著玩笑口吻說道。

「好像可以想像他的反應，真想看看。」米粟被夏偉振的舉動逗笑了。

三人的情緒放鬆了些，夏偉振看著米粟問道：「雖然這樣有點失禮，我也不能代表阿泉，但可以讓我問你幾個問題嗎？」

米粟忐忑地點點頭，一時摸不清對方想問什麼。

「如果今天阿泉親自帶阿羅來你面前，說他們正在交往，你會怎麼反應？」

米粟沒有心理準備腦袋一片空白，思考好一會才說：「我會要羅勳丞對哥哥好一點，不要欺負他。」

「真想讓阿泉親耳聽聽，他以前經常提起怕你不接受阿羅，結果沒想到你在意的是他會不會被欺負。」夏偉振再次露出長輩般關懷的微笑。

「我當然會接受，都什麼時代了，哥哥煩惱太多了……」

「是啊真可惜，要是他別顧慮這麼多直接跟你坦白的話，一定會很開心。」

夏偉振的感慨讓米栗與吳梓弄相當認同。吳梓弄指著米栗說道：「說不定形泉學長還會給這傢伙一個擁抱。」

「當然，阿泉三句不離『我這個弟弟啊』，熟識的人都知道他根本就是個弟控。」

「但他因為太顧慮我，直到過世都不跟我說結婚的事，覺得有點難受。」米栗縮著肩膀難掩失望地說道。

「我也是直到最近才從阿羅那裡知道他們已婚。」夏偉振喝了口奶茶，拍拍米栗的肩安慰道。

「他們結婚的事這麼低調！」吳梓弄好奇地想了一下又問：「目前聽起來只有李阿姨跟當事人知道，為什麼？」

「我倒是沒想過要問阿羅為什麼選擇隱瞞，明明我也知道他們在交往，可是結婚這件事卻直到阿泉過世後他才願意提起。」

三人互相看了一眼，理所當然沒人可以給出合理的解答，甚至反而冒出更多關於羅勳丞的疑問。

「你一說我倒想起來，我有追問阿羅既然已經結婚，為什麼阿泉出殯那天沒有列席。」

「他有回答嗎？」米粟輕輕交握雙手問道。

「他說既然不公開阿泉已婚，當時就只跟其他親戚一起低調捻香而已。」

夏偉振帶著惋惜看著兩人許久，才接著說道。

「他說不想讓有些不熟但喜歡多嘴的親戚知道這件事情，他與阿姨都想讓阿泉平靜離開，畢竟他生前除了病痛，就是那些家族的事情紛紛擾擾。」

「所以才會連我都不知道啊……」米粟的情緒變得更低落，他意識到這句話的意思，強忍難受說道：「儘管我是他的弟弟，在這件事上被他們認定是外人了吧。」

「不是這樣，我不是這個意思，阿泉跟阿羅只是在當時的考量下選擇這麼做。」

夏偉振實在不忍心看米粟那越來越失落的神情，別過臉抓了下頭髮，猶豫再三後才下定決心說道：「事實上早在你們連絡我之前，阿羅就跟我說你應該會找我詢問阿泉生前的事。」

「什麼！偉振學長你早就知道了？」吳梓弄率先反應過來，這個真相讓他大感意外。

「當然知道啊，不然哪有那麼剛好我這週末回來南部。他跟你們見面後，就和所有與阿泉親近的人連繫，要我們不要拒絕訪談邀約，所以我早就準備好隨時跟你們見面了。」

米栗與吳梓弄依然感到意外，想起昨天訪談的種種，米栗低聲說道：「難不成李阿姨說羅勳丞有事先跟她打過招呼，其實是指我們連繫之前羅勳丞就已經知道我們會找上她，而不是我們連繫後才向羅勳丞了解狀況。」

「對，阿羅早就知道你們可能會訪談誰，先替你們和每個對象打好關係，他花了整晚電話溝通才讓難度最高的李阿姨接受。」

夏偉振為難地坦承後，看著兩個小學弟震驚的表情，總覺得讓氣氛變得更尷尬了。

三人就這樣你看我、我看你許久，米栗的情緒很快就恢復平穩，更從這些訪談記錄裡看出更多疑點，他將筆記本不斷地往前翻，審視這幾天相當豐富的訪談成果，最後他停留在委託人羅動丞的頁面。

「我覺得有點奇怪，除了我跟梓弄哥的部分，其餘他幾乎都有親身參與，根本不需要大費周章委託生前調查。而且能準確預測有哪些對象會接受訪談，這種怪事我開設生前調查室至今第一次遇到。」

吳梓弄撐著下顎一起看那些密密麻麻的訪談記錄，慢慢說道：「這樣看來我們簡直像是照他的安排在行動。」

才剛說完米栗與夏偉振立刻恍然大悟看著他。

吳梓弄被這陣目光洗禮，忍不住往後退一些，「怎、怎麼回事？」

「你說得有道理，這整個生前調查委託像是被安排好的。」

米栗看著取得的記錄，突然意識到自己反而更像是委託人，羅動丞則是引導著他發覺真相，但為什麼要這麼做？

「我不懂羅動丞的想法……」

米栗越想越不安，不禁懷疑起是不是有什麼陰謀，但回想與羅動丞接觸的印象，那優雅有禮又親切的樣子，一點都不像會有什麼問題。

夏偉振勾起一抹淺笑說道：「以我認識阿羅這麼多年，他應該沒有什麼惡意，但我也猜不透他的想法，建議你當面問清楚。」

「我知道。」米粟接受夏偉振的安撫，暫時消除些許對羅勳丞的疑慮。

「還有什麼要問的嗎？」夏偉振放輕語氣問道。

「目前就是這些了。」

米粟看著這些第一次得知的哥哥另一面，既充滿各種想像也對夏偉振曾與哥哥同住數年感到羨慕。他撫摸那些文字，帶著寂寞的口吻問。

「如果之後我想到其他問題，可以連繫夏學長嗎？用文字或通話都可以。」

「當然沒問題，我們互加好友吧！」

夏偉振立刻拿出手機與他交換連繫方式。

這場突然追加的訪談圓滿結束，米粟與吳梓弄離去前，夏偉振還買了兩杯紅茶送給他們解渴。

吳梓弄騎著機車載米粟回家的路上，米粟終於洩漏出隱忍已久的情緒，忍不住將頭貼在吳梓弄背部不斷發出嘆息。

「怎麼啦，訪談不是很成功嗎？」吳梓弄放慢騎車的速度，輕聲問道。

「很滿意啊。」米粟嘶啞地說道，但明顯情緒非常低落。

「還是有哪裡遺漏了？」吳梓弄隱約知道他情緒不好的理由，卻沒有直接戳破而是轉移話題，否則米粟也只會說自己沒事。

「沒有，我只是……很羨慕你們。」米粟重新挺直身軀，看著前方的街景低聲說著。

「哪方面？」吳梓弄盯著路況，依然輕聲溫柔地問道。

「你們回憶裡的李彤泉跟我印象中的哥哥像是兩個人，他在我面前很溫柔，可是沒有這些有趣的事情，我有點……應該說非常羨慕。」

「不過我這樣跟著訪談，覺得你在彤泉學長心中一定很重要，他有很多考量似乎是為了你。」

「如果很重要的話為什麼不讓我知道他結婚的事？我對這件事真的很介意。」米粟像個五歲小孩一樣，賭氣的口吻讓吳梓弄忍不住笑出聲。

「為什麼笑我？」米粟沒錯過那聲輕笑，有些羞恥地問道。

「不是笑你，只是發現你也會有鬧脾氣的時後。這樣比較好，不然都覺得你快成仙了。」

「亂講，我是一般人啦。」米栗低聲反駁，顯然心情依然不是很好。

「剛剛偉振學長也說了，去問問羅勳丞吧，不要亂猜亂想。你現在就是覺得形泉學長把你當外人吧？還沒問清楚真相，先不要下定論。」

「我知道……」

米栗輕輕點頭。這也是對待生前調查的基本態度，然而遇到自己是當事人的情況，他的思考在不知不覺中偏移了。

米栗看著吳梓弄的背影，突然意識到如果今天只有自己一個人面對這些調查，肯定沒辦法這麼順利。沒有堂哥幫忙就無法跟李阿姨連繫，沒有認識吳梓弄就不會知道哥哥生前有夏偉振這麼一個好友兼室友。

一想到這些種種，他鬱悶的心情驀地豁然開朗。就在快抵達家家飯館時，米栗口吻真誠對這位半路認識有如兄長的人道謝，「梓弄哥，謝謝你。」

中午時分的家家飯館客人絡繹不絕，吳梓弄看見正在櫃臺結帳的老媽忙得不可開交，盤算著得過去支援才行，當然他沒錯過米栗那發自內心的道謝，停好車接過安全帽，伸手揉亂米栗的頭髮。

「唔……你們每個都特別愛亂摸我的頭。」米栗後退一步，伸手順著被抓亂的頭髮抱怨。

「你就一臉需要被摸摸安慰一下啦！要道謝的話以後少挑食。」

「為什麼這時候要提這種事啦……」米粟皺著眉，剛才溫馨的感觸全消失殆盡了。

「這是我能盡力做到的事啦。」吳梓弄抱著安全帽思考一會又低語。

「這樣說可能有點自以為是，但我這幾天偶爾會想，說不定是形泉學長安排我們認識的……至於你對羅勳丞的疑慮，反正也不是找不到人，就直接跟他問個清楚吧。」

「知道了。」米粟點點頭，接受他的建議。

「好了，我得去支援，下午再上樓跟你整理訪談內容，討論下一步要怎麼進行。」吳梓弄眼看客人越來越多，拍拍米粟的肩膀後快步前去幫忙。

米粟還在思考剛才吳梓弄說的話。至今他認識的每個人的確或多或少都跟哥哥有所關連，正如吳梓弄所說像是被安排好一樣，也像是哥哥為他悄悄留下的寶物。

一想到這個可能性，米粟惆悵地嘆口氣，更加想念李形泉了。

吳梓弄直到下午兩點才得以從自家飯館脫身。

他先回到二樓沖澡洗掉一身汗，換上乾淨舒爽的衣服才爬上三樓，一進米栗的房間，就看見對方趴在矮桌上熟睡，周圍散亂著紙張還有筆電。

吳梓弄不想吵醒他，輕手輕腳來到一旁坐下拿起那些紙張查看，同時發現生前調查室未讀留言數已經迅速堆積了數百則。

「趁我忙的時候大肆討論了是吧？來看看大家說什麼。」

吳梓弄點開群組，留言數已經有好一段時間沒有增加，顯然散會了。

無糖臺南人：「根據現在的資料，我覺得米栗哥哥的丈夫有點可疑。」

長頸鹿：「不是有點，是非常。」

阿團：「可是他的目的到底是什麼呢？不能理解。」

初一吃素：「會不會他跟米栗哥哥結婚的事情另有隱情？」

此話一出換來所有人長達數秒的沉默，接著好幾人都貼出不安與沉思意思的貼圖。

米栗：「這件事也只能等下次訪談問清楚。」

長頸鹿：「在這之前我們是否需要把要訪談的問題調整一下？」

白星：「我也這麼認為，之前也遇過類似的案例，記得有次委託的訪談對象就是這種情況，要不是我們覺得應該先接觸其他朋友，後續也不會發現委託人與調查對象有很複雜的關係。」

走路靠右：「我想起來了，是很早期的案例，而且事後才曉得委託人在找當事人的遺囑。」

長頸鹿：「我記得這件事，是跟財產有關。悲哀的是兩人其實早就沒有任何關係，只是委託人一廂情願覺得對方還愛他。」

初一吃素：「那次太慘了，然後大家也尷尬。」

米栗：「得把所有事實跟委託人說明結案的時候，我們還花了很多時間做準備，果不其然委託人好像世界崩塌一樣痛哭很久，也讓我陷入矛盾，是不是某些事情不要知道比較好。」

大概是米栗難得顯露出心情低落的反應，調查室的成員們連忙發言。

長頸鹿：「別這麼想，畢竟生前調查的宗旨就是替已經離開的人拼湊出生前的種種，無論好壞都是回憶的一環。我想你成立這個社團，最初也是想知道哥哥的過去對吧？」

米粟：「是啊，這段時間知道好多事情，終於能體會那些委託人的心情。」

無糖臺南人：「想哭就哭一場吧。」

白星：「來啦！我肩膀給你靠，哭一哭會好點。」

小暖：「對啊，不然看你一直要保持冷靜其實挺辛苦的，如果是我早就哭到不行。」

成員們後來有很多時間都在安慰米粟，氣氛越來越溫馨。而米粟都沒有回覆，直到五分鐘後才出聲。

米粟：「謝謝你們，我現在有好一點，接下來就是把連同自己關於哥哥的回憶整理好。我想委託人應該會是最後一位訪談對象，順利的話就能結案了。」

他發完這則訊息後，線上的人紛紛回覆「理解」、「辛苦了」等等內容。過十秒米粟又回一句，「也請大家放心，生前調查室會繼續下去，不會因為我哥哥的委託結案就解散。」

無糖臺南人：「太好了，你說了我最想知道的事。抱歉，我之前的確有這個疑慮。」

米粟：「這裡會繼續存在，之後還是得繼續麻煩大家提供意見。」

在這句留言之後，本日調查室的討論就散會了。

最後一句發言大約是十五分鐘之前，這麼算來米粟大概也才睡十幾分鐘而已，於是吳梓弄選擇安靜處理起自己能做的事。

當然他很在意剛才討論時，米粟長達五分鐘沒有出聲的空檔。大概是在生前調查室待久了，吳梓弄也學會觀察周圍的細微變化，發現原本放在書架上的衛生紙被挪來桌邊，桌上還有一些紙屑和紙團。

「看來這短暫的五分鐘是在哭。」吳梓弄看著依然趴著熟睡的米粟，惆悵地輕輕撫摸對方的頭很小聲地說，並暗自決定當作不知道，就這樣陪伴在少年旁邊。

他趁著這段空檔把米粟的訪談記錄大致整理完畢，順便有機會重新將所有內容瀏覽一遍。

吳梓弄同樣也對羅勳丞的舉動有那麼點疑慮，但心想一切就等真的見到對方再說，現在先專心陪伴這個孤獨的孩子。

「這樣看來，剩下米粟自己還有羅勳丞的部分就完整了。」

至於米粟就這樣一路睡到傍晚六點，突然腳往前踹一下後驚醒過來。正在打手遊的吳梓弄被這個舉動嚇一跳，原本快成功的關卡就這樣功虧一簣。

吳梓弄見他慌張的神色，擔憂地問道：「怎、怎麼了？」

「只是做了很奇怪的夢……」米粟抹抹臉，睡意漸漸褪去神色卻不太好。

「惡夢嗎？沒事，只是夢而已。」吳梓弄拍拍他的肩膀安慰。

「沒想到會夢到小時候的事。」

米粟的情緒還沒緩過來覺得口很渴，喝下一口水潤潤喉接著說。

「我小學一年級的時候很矮小，在班上特別瘦弱，經常被高年級有個校內最讓人頭痛的小霸王欺負。有天放學後我哭著向哥哥訴苦，我其實已經不太記得哥哥說什麼，只記得他抱住我要我不要哭。本以為這件事就這樣過去，才過兩天就聽說哥哥跟人打架，爸媽被叫去學校，那時候哥哥跟爸媽的關係已經很差，這件事之後就更惡劣了。後來聽說那個欺負我的高年級生被一個國中生揍了，才明白後來沒有再被欺負的原因。」

米粟握著杯子望向前方櫃子，沉浸在當時的回憶裡，說話速度變得非常慢。

「我自己察覺真相之後，總忍不住想哥哥跟爸媽的關係變得更糟，是不是因為那次幫我出氣的關係。可是這件事大家從不提，我也無從問起，哥哥過世之後就成了永遠解不開的謎。」

米栗說到此處又嘆了口氣，「剛剛夢到被欺負的自己抱著哥哥，我用力哭泣，哭著哭著哥哥就在面前變成光點消失了，很失落也很寂寞。」

米栗又喝一口水，突然想起某件事，慌忙起身衝向櫃子翻找。

「怎麼了？」吳梓弄對他突如其來的大動作感到驚訝。

不久之後米栗從找出一張破舊的照片，隨即回到原本的位置坐下，「這張是哥哥跟我們分開生活之前拍的，應該是在家裡的客廳教我彈琴。」

「這是誰拍的？」吳梓弄探頭看著那張照片，照片中的李彤泉介於國中與小學之間的外貌，米栗則小小一個相當可愛。

「我媽，那時候關係還沒那麼差，等等……」

米栗望著吳梓弄安靜好一陣子才接著說。

「記得哥哥要離開家之前有跟我要東西做紀念，我把他之前送的一本圖案挺可愛的日記本回送給他。那時候我對日記的理解就是把一天的事情寫進裡頭，也還不知道他準備離家，只想著還給哥哥使用。哥哥有寫日記的習慣，應該有好好利用那本日記……」

米粟沒把話說完，低頭看著那張合照良久。

「看來得問問羅動丞了。」吳梓弄點點頭替他補充。

「我也這麼認為。」米粟跟著點頭，心想看來這是結案前必須解決的問題。

# 第十八章

## 意料之外的委託人（八）

與羅勳丞約好時間再次訪談並不難，雙方約晚上在羅勳丞的住處見面。

這幾日吳梓弄為了陪伴米栗到處訪談，晚餐時段幾乎沒有幫忙，讓吳爸爸頗有微詞。米栗在出發前目睹吳家父子在內場廚房起爭執，感到非常尷尬。

雖說最終吳梓弄拿米栗當擋箭牌，說夜裡有事外出至少要有個成年人陪同，吳爸爸才放行，直到距離會合時間只剩下三十分鐘才出發。

「幸好羅勳丞住得不遠，你跟他說一聲會晚個十分鐘才到。」吳梓弄發動機車前不忘叮嚀米栗。

「喔。」米栗鬱悶地拿出手機照做。

或許是相處久了，吳梓弄很快就察覺他低落的情緒出聲問道：「有什麼問題嗎？」

「剛剛看到你跟吳伯伯為了我吵架，有點過意不去。」

吳梓弄看了他一眼，手勁強力地將安全帽塞進米栗懷裡，「我跟老爸經常為了小事鬥嘴，尤其幫店裡忙的事從小吵到大，跟他說過現在的營收固定可以多聘一個人，老是回要等我大學畢業再說，剛剛只是又吵一次多年來的老問題而已，不是你的錯。」

「可是……」

「沒關係啦！帶個他愛吃的宵夜回來就會消氣了。」吳梓弄拍拍後座，「快上車吧！形泉學長的事還沒解決。」

米栗雖然心裡仍然過意不去，還是聽他的建議跨上機車出發。

因為這些臨時突發狀況，讓他們比預定時間晚上十五分鐘才與羅勳丞會面。對方依然如最初見面時那般斯文有禮，好像什麼事情都能打理妥當的樣子。

這是米栗第二次見到他本人，忍不住想原來哥哥喜歡這種類型？哥哥身邊從沒有這樣的人存在，或許羅勳丞是可以讓哥哥依賴的對象，兩人才會相遇相愛。

「抱歉，我們出發前遇到點小狀況。」米栗剛坐上沙發，就對替他們端來果汁和餅乾的羅勳丞致歉。

「沒關係，剛好讓我有空洗個澡。今天整天跑外勤全身都是汗，本來還有點擔心讓你們看到髒兮兮的樣子。」羅勳丞坐下後，順勢抓起幾片餅乾吃。

「是我們比較抱歉打擾你下班休息時間。」米栗說罷，緩了好幾口氣才進入正題。

「關於李彤泉的生前調查委託，目前來到收尾階段。我們訪問過他的親人朋友，整理目前為止的資料之後，需要再找你做一次深度訪談。」

「儘管問。」羅勳丞一如既往大方。

米粟低頭確認預先整理的問題逐一提問。羅勳丞看起來沒有特別隱瞞的意思，不過米粟的問題瑣碎到連他們的作息到生活習慣都不放過，讓一旁安靜記錄的吳梓弄覺得困惑頻頻望向他。

就這樣提問了三十分鐘之久，羅勳丞也越發覺得奇怪，「抱歉讓我打斷一下。」

米粟馬上配合停下，平靜的神色與另外兩人很是困惑的模樣截然不同。

「一般訪談會問到這麼詳細嗎？包括衣服的喜好之類，總覺得好像被審問一樣，有點奇怪。」羅勳丞很婉轉的提醒。

米粟神色複雜地盯著他好一會才回答：「事實上我們這幾天訪問過李阿姨，還有哥哥高中同班同學的夏偉振學長。」

「你們連繫到他們了啊，情況如何？」

羅勳丞依舊坦然自若，這個反應讓米粟更加不解。

「他們都說你已經先通知過我隨時會連繫，也就是說你早就知道我會找那些人訪談。這是我接生前調查委託以來沒有發生過的事，再加上哥哥生前隱瞞結婚的事，所以……」

「所以你懷疑我的動機對吧？」羅勳丞不等他說完，笑著反問。

米栗實在不知道怎麼反應，羅勳丞大方又自在的樣子，彷彿一切都在他的計畫之中。

吳梓弄也坐不住，插嘴問道：「羅先生，請問這是什麼意思？」

「我答應過阿泉，所以現在不能透露太多，但你可以說說現在調查的進度，讓我判斷如何回答。」羅勳丞苦笑著說道。

米栗嘴巴微張，瞬間無法理解眼前的人在說什麼，就連吳梓弄也是同樣的反應。

「雖然這樣說很可疑，但是請不要擔心，我沒有要對你們怎樣。」羅勳丞說罷，雙手舉高做投降狀說道：「這樣說真的超可疑的。」

「可疑到我想報警了。」吳梓弄平靜地回覆。

三人就這樣你看我我看你，最終由米栗打破僵局，「我願意暫時先相信你，畢竟李阿姨和夏學長都信任你。」

羅動丞明顯鬆了口氣，「先謝謝你願意相信我了。」

「目前我訪談到的就是你跟哥哥還有夏學長一起分租房子的事，他提到無意間撞見你們親密的樣子，進而察覺你跟哥哥的關係，還有……」

「阿泉有偶包，過世之前很討厭親近的人探病，不想被看到生病的樣子對吧？」羅動丞接續米粟的話，眼裡則帶著幾分不捨。

「我可以理解哥哥的想法，他去世後我有段時間很失落，以為得知真相會稍微釋懷一些，可是……」

「可是？」羅動丞很在意米粟欲言又止的態度，神色認真地追問。

「我其實非常非常介意，哥哥為什麼不讓我知道他結婚的事……」

米粟很努力克制情緒，但終究還是失守，因為壓抑而全身微微顫抖。羅動丞與吳梓弄都看出來了，吳梓弄甚至伸手拍拍他的肩安撫。

「因為你哥不敢講。」羅動丞輕聲地說。

「為什麼不敢講？夏學長也提過……」

米粟皺起眉，理性與感性正在腦袋裡大打出手。

「他不確定你的想法。」羅勳丞看到米粟那張失落的臉感到不忍地嘆口氣。

「我像是不會接受他喜歡的對象的人嗎?」米粟整張臉皺成一團，委屈得讓人想摸摸他的頭安撫。現在他暫時拋去生前調查室負責人的身分，只是李彤泉的家屬。

「阿泉在某些時候很會逃避現實。」羅勳丞撫摸左手無名指的婚戒，沉吟許久才說：「我以前曾勸阿泉跟你坦白，但他說沒有勇氣，怕聽到不敢聽的答案。」

「是嗎?」米粟整個人像是枯萎一樣。

羅勳丞伸手握住他的手說道：「不知道這麼做能不能讓你好過點。」

「稍微……」米粟低頭看著比自己大的手掌，溫暖的觸感的確讓他稍微平復心情些許。

「對他來說讓你知道這些事情像是種賭注。」羅勳丞依然握著米粟的手，語調緩慢，讓人感到一絲安慰。

「知道他內心的想法，知道他在你看不見的地方的所作所為，知道他有個同性丈夫，這些他不敢賭，只想安安靜靜維持現狀直到死去為止。如果這樣他能好過一些我會尊重，畢竟那時候時間所剩不多，抱歉我比較偏心。如果你無法諒解，當然可以繼續不滿，下次忌日的時候我們一起念念他。」

「不要念他啦，我都可以想像他會是什麼表情。」米粟深呼吸好幾口氣，漸漸又從家屬找回生前調查室負責人的身分。

「所以現在你可以繼續根據查到的事情提問，他的事情還無法結案。」羅勳丞看米粟稍微有點笑容後才鬆口氣。

「我記得哥哥有寫日記的習慣，不確定跟李阿姨生活後有沒有變。他要離開宋家之前，我送給他一本日記本，淺藍色的外皮，封面有隻很可愛的小熊。」米粟邊說還邊比劃那本日記的大小。

「他是有寫日記的習慣，過世後那些日記本也都有收起來，印象中清點時沒看到你說的那種樣式。你們等等，我找找看。」羅勳丞想了好一會，緩緩起身走向自己的臥房。

就這樣過了大約三分鐘後，他抱著一個大紙箱走出房間，卻露出困擾的表情。

「怎麼了？」米粟站起身緊張地問道。

「我找了一下，裡面果真沒有你說的那種樣式的日記本。」羅勳丞捧著紙箱來到他們面前，拿出裡頭所有的東西。

日記一共有六本，每本都有書寫過的痕跡，米栗有些心動地問道：「這些內容你都看過嗎？」

「大致翻過，都很流水帳寫吃了什麼、買了什麼，與其說是日記，不如說是帳本……我還翻到他寫我欠他兩百塊沒還的事。」

羅勳丞苦笑著，認為這些日記本沒什麼參考價值，但這也代表李彤泉曾經的生活痕跡，因此他一直很小心收藏。

「我……」

對米栗來說只要是可以窺看哥哥生前時光的一切，就算是無聊的日常記錄也很想看看。

他才剛開口，羅勳丞就將所有日記本推到他面前，「都拿去吧！看看他這幾年都在做些什麼也不錯。不過他過世前一個月字跡比較凌亂，解讀會比較辛苦。」

羅勳丞又從紙箱拿出一個裝在塑膠盒裡面的密碼鎖展示給兩人看。

「鎖頭？只有這個？」吳梓弄接過塑膠盒仔細端詳，這是一個三碼的密碼鎖，鎖頭已經被扣上，上頭由上而下依序是「九二二」三個數字。

「阿泉生前留下的東西裡，就這個鎖頭我一直不懂是什麼意思，但以他的作風，會特地找塑膠盒裝起來一定有什麼用意。」

米栗拿過吳梓弄手上的鎖頭仔細端詳，反覆撫摸那三個數字，看著鎖頭沉思說道：「如果沒猜錯的話應該是我的生日，九月二十二日。」

「你的生日？這樣的話是有什麼含意嗎？」吳梓弄盯著那個鎖頭，試圖想看出什麼，可惜就只是個單純的金屬鎖頭。

「不曉得，我沒看過這個東西……」米栗又端詳許久才問：「我可以帶走研究看看嗎？」

「當然，你看看紙箱裡還有什麼想拿回去的，想還的時候再歸還就好。」

羅勳丞一如最初的印象，大方、客氣、溫和。米栗將李彤泉的遺物裝進背包裡，又頻頻看向羅勳丞。

「還有什麼問題嗎？」羅勳丞溫柔地問道，米栗的目光太過明顯，他很難不察覺。

米栗猶豫許久才回應：「我只是突然覺得，哥哥生前最後那段時光，真的很慶幸有你陪在他身旁。」

「謝謝你這麼說，不過我還是有沒做好的地方，或者不小心忽略他的需要，這大概是我最愧疚的事了。」

「人總有不周到的地方，哥哥在人生最後一刻選擇讓你陪在身邊，可見對你是絕對的信任。雖然我跟哥哥同住的時間不長，但知道他很怕寂寞，偏偏家裡的事情又紛紛擾擾，是你消除了哥哥獨自一人的不安。」

米栗呼了口氣，整理好物品後就起身向羅勳丞點頭行禮準備告別。

羅勳丞送兩人到門口，臨走前米栗一副欲言又止的樣子，讓他忍不住笑出聲說道：「這裡有不少阿泉的東西，想來的時候隨時都可以過來，如果想聊他的事也隨時歡迎。你有我的連繫方式，一定找得到我。」

「好，保持連絡。」

米栗點點頭，心中暗自感嘆著羅勳丞總能體察他人的心思，或許哥哥就是喜歡這種特質。

米粟就這樣抱著那些物品返回租屋處，吳梓弄則在回程的路上買了些水煎包與豆花給吳爸爸當宵夜。

他們到家時已經是晚上九點多，家家飯館的鐵門拉下一半，地上有清洗過的痕跡，可以聽見屋內吳爸爸與吳媽媽有說有笑的聲音。

「你先上樓吧，我拿這些點心給他們。」兩人從後門進屋，吳梓弄催促米粟上樓後，就逕自往前門走去。

米粟步伐緩慢地爬樓梯，隱約可以聽見吳梓弄正與父母對話，有笑聲也有沒好氣的抱怨聲，整體氣氛聽來很愉快的樣子，剛才出門前父子的爭執已經不在。

住在這裡數個月，米粟很羨慕這一家人的互動，他們儘管難免有爭執或意見不合的時候，這卻是他以往和未來都無法體驗的經歷。他偶爾獨處時會特別想念爸媽還有哥哥，體會到至親幾乎都已經不在的事實。

「活著的人也只能靠著想念讓自己不寂寞。」米粟邊喃喃自語邊走上樓，轉過樓梯轉角後就逐漸聽不見一樓的聲音，他的情緒也慢慢調整回來，繼續研究哥哥的生前記錄。

吳梓弄大約三十分鐘後才上樓，手裡還拎著盒蛋糕，一進米栗房間就看見他窩在床邊翻閱那些日記本，鎖頭則被放在矮桌上。

他在米栗面前坐下，打開蛋糕盒說道：「吃個點心吧。」

「為什麼有蛋糕？」米栗看著上頭灑有糖霜的甜品，下意識舔舔唇直接取走一個吃起來。

「我媽的朋友最近在學烘焙，送來請我們試吃的。」

吳梓弄看到唯一一個巧克力口味的蛋糕被挑走，一邊想著不意外，一邊拿起擠滿鮮奶油的蛋糕吃著。

甜點時間僅有五分鐘，兩人便開始討論關於李彤泉的事情。吳梓弄再次拿起密碼鎖，反覆摸著上頭的數字陷入沉思，「關於這個鎖頭，你有想到什麼可能嗎？」

「沒有，本來想從哥哥的日記裡尋找線索，但真的是羅勳丞講的那樣，哥哥的日記很流水帳，全都是些瑣碎的記錄。」

米栗讀這些日記時其實有些罪惡感，日記的記事甚至可以說是很隨便，哥哥大概沒想到過世後會被弟弟拿來看。

「整整六本，看完也不知道什麼時候了。」吳梓弄摸著日記本的封面問道：「可以讓我看看嗎？」

「看吧。」米栗將其中一本遞到他面前，「到我哥忌日那天，我們再一起去他的牌位前懺悔。」

吳梓弄倒是沒有拒絕他的提議，苦笑著搖頭接過日記本，帶著歉意翻開，第一眼就注意到寫在開頭的日期。

「這是學長高二時寫的哎。」

吳梓弄恰好拿到李彤泉高二高三期間的日記，他繼續往後翻了好幾頁，一想到自己也曾參與過這些日子，心裡有那麼點寂寞。

「幸好學長有養成寫日記的習慣，以後也這麼做好了，就算只是自己回味也很有趣。」

吳梓弄邊翻邊說，可以理解為何有些人會在社群網站上記錄自己的生活，那些在未來某天都會成為懷念的回憶。

「我前一陣子也開始記錄這些了……」米栗又翻過一頁並說：「我這本是哥哥高中畢業後的時期，內容大部分都是化療記錄。不過哥哥還真的是不喜歡把痛苦留下，翻了好幾天份，他描述不舒服的地方都很簡單帶過。」

「很有他的風格。」吳梓弄也翻到下一頁，在這篇日記看到自己的名字，不由得瞪大雙眼。其中一篇的內容是這麼寫。

梓弄學弟能力還不錯而且很會炒熱氣氛，等我們升上三年級之後，要推他上來當幹部。

不過跟這些比較嗨的學弟妹們相處有點累啊。

「我加入搖滾音樂社不到兩個月，學長就已經計畫以後要讓我當社團幹部嗎？」吳梓弄撫摸那段文字，有著無限感慨，一下子忘記要尋找鎖頭線索，沉浸在與李彤泉的那段回憶裡。

感覺今天又把氣氛搞冷了，難道我找的笑話都不好笑嗎？要跟學弟妹們混熟好難啊。

動丞救救我！為什麼你連早餐店阿姨都可以變朋友？

交朋友是需要天分的嗎？

吳梓弄看到這番話忍不住笑出聲，這樣的文字很難想像出自總是冷靜理性的李彤泉手筆。

「看到彤泉學長寫講冷笑話的事情，我想起他有段時間真的很奇怪，經常在詭異的時機講大家很難反應的冷笑話，然後氣氛尷尬到學長得找各種藉口逃離社團教室。」

吳梓弄想起當時的情景，笑了許久才平復接著說：「原來是想跟大家混熟所以拚命講冷笑話啊，學長也太可愛，可以直接說啊……」

「你這麼一說我也有印象。」米粟湊過去看了日記的內容一會才說道：「那陣子跟哥哥連繫的時候，他都要我聽他講的笑話，還會問覺得如何，我都很直接跟他說沒哏。」

米粟發出一陣惋惜的嘆息後弄鬱悶地說：「看來我當時的反應打擊到他了吧，早知道就配合笑一下，給他點信心。」

「多年後才知道真相，反而覺得有點抱歉。」吳梓弄投以苦笑，兩人聳聳肩繼續翻看李彤泉的日記。

他們就這樣一路翻查直到午夜，很有默契地放下本子，同時揉著痠澀的雙眼。發現兩人動作一致的米粟忍不住失笑說道：「是不是相處久了就會有這種事？」

「大概吧，我剛剛看了很多內容，發現彤泉學長看似冷靜的樣子下，原來有這麼多內心戲，今天真的是對他徹底改觀了。」

吳梓弄看著手上還有一半沒翻完的日記。就如羅勳丞的提醒，日記內容都是些日常記錄，甚至某幾天只寫三餐吃了什麼，卻也能讓他看得津津有味。

「你剛好在看哥哥高中生活的日記對吧？」米粟看著他身邊的日記本，也想快點讀那本的內容。

「我也想起很多當時的回憶，有機會對照之後才知道箇中原因。學長在暑假團練時幾乎每天都吃超商涼麵當中餐，我們當時還一直笑他也太愛吃涼麵。結果原來那一陣子李阿姨被裁員暫時沒有收入，為了不增加母親的負擔，他四處找便宜餐點當三餐，涼麵是羅勳丞朋友在超商打工拿到的打折品，還有在麵包店打工朋友給的土司邊，他就這樣苦撐兩個月。」

吳梓弄想著當時大家對李彤泉開玩笑的模樣，就算李彤泉在日記裡只提到為了三餐支出感到苦惱，對學弟妹們的玩笑完全沒放在心上，現在回想起來簡直像在他的傷口上戳刺一樣。

「他明明可以跟很多人開口求援的，雖然跟爸爸起爭執，但如果那時候跟我們說的話，爸爸一定不會拒絕……」

米粟微微皺起眉感到失落，這些事情當事人不願意求助，其他人也沒有機會知道。

「你也很清楚以學長的性格是不可能開口的，他某些情況下會特別固執，這點我倒是隱約有發現。」吳梓弄發出更大的嘆息聲，最後掩面懊惱地說：「如果我當時積極一點，提供免費便當根本不是問題。」

吳梓弄就這樣將臉埋在掌心裡好一段時間，米粟則靜靜陪伴在側，等著他整理好心情，沒想到對方突然抬起頭伸手攀住他的肩膀。

「米粟你千萬別學學長，沒錢吃飯一定要講，盡量別挨餓好嗎？」

吳梓弄真誠的目光讓米粟感到很不自在，很想回不會發生這種事，不過如果這麼說一定又會沒完沒了。

米粟逕自開始收拾桌面，頗有驅趕吳梓弄的暗示，「好了，梓弄哥快回房睡覺吧！我們今天弄太晚了。」

吳梓弄也順應他的意思慢慢起身說道：「也好，你別趁我回房睡覺後熬夜看日記喔。」

「知道啦。」米粟很努力隱藏被吳梓弄猜中的心思，收拾完蛋糕盒和桌面後，就推著吳梓弄離開自己的房間。

兩人很隨意互道晚安之後，米粟換上舒適的睡衣，慢慢窩回自己的床鋪。積累一整天的疲倦湧上來，本想多看幾頁日記的想法頓時被睏意擊敗，他打了個大哈欠之後鑽進被窩。

心情沉澱下來後，剛剛暫時被忘記的密碼鎖再次浮上腦海。

他翻過身抓起放在矮桌上的鎖頭，就這樣仰頭舉高，透過昏黃夜燈看著金屬製密碼鎖陷入沉思。

「哥哥刻意留下這個鎖頭，還用了我的生日當密碼，有什麼用意呢。九二二……我的生日，這件事跟我的生日有關嗎？」

米粟翻過身縮進被子裡，將鎖頭緊握在掌心，腦中跑過許多相關詞彙。

哥哥的……生日……禮物……

「禮物。」米粟似乎找到關連性，掀著被子猛然坐起身，盯著天花板努力回想，「跟生日禮物有關，鎖頭……我跟哥哥互送過什麼跟鎖有關的東西？」

他回憶起與哥哥之間生日的記憶，從有記憶開始，兄弟生日時互送禮物是每年慣例，他年紀還小時都是送自己手寫的卡片，等更大一些有金錢觀念後，就改買現成的物品，從筆記本到文具都有。

米粟就這樣細數著經年累月下來送過的禮物，終於意識到不對勁的地方，「說起來我送給哥哥的那些生日禮物，在遺物的箱子裡完全沒看到。」

「明天問問羅勳丞，哥哥是否還有什麼遺物沒被找到……」

他在床上翻來覆去，對於隱約找到線索卻又沒個底而感到煩躁，決定放棄思考把這些問題留給明天。

因為實在太累了，米粟就這樣眼睛一閉，立刻墜入睡夢中。

米粟在出門上學之前，往生前調查室群組拋了幾個亟需得到解答的疑問，同時簡短向大家報告零零號目前的進度與重點。

他鮮少在早上留言，沒想到聊天室在短短幾個小時內竟冒出許多回應。上課時間無法使用手機，米粟只能偷瞄不斷增加的留言數。

群組裡除了「便當店王子」與「走路靠右」，其餘成員都是上耘高中在校生。米粟心想，也就是說現在有一群人上課時候偷偷上網嗎？

偏偏他上午四堂課都抓不到偷滑手機的機會，下課時間也只能跟上一點點對話，直到午休時間才有辦法仔細看討論內容。

群組裡非常熱烈討論關於李彤泉留下的號碼鎖，尤其走路靠右在上午十點多加入後，留言的速度與數量瘋狂爆增。

米粟很辛苦邊看邊吃飯，趕在午休結束前總算追上進度，暗自慶幸還好經過一年多生前調查訪談練就出快速整理重點的能力，他已經從這數百則留言裡找出方向。

無糖臺南人：「我感受到米粟迫切想找到線索，所以剛剛想了很久。你們兄弟互送的禮物，有沒有上鎖的某種東西？說不定暗示的是這個意思。」

長頸鹿：「上鎖的東西？有沒有可能是置物箱或保險箱密碼？」

初一吃素：「我覺得無糖臺南人的方向滿有可能，上鎖的禮物？」

白星：「保險箱？說不定米栗哥哥留下一大筆遺產要給他，只是不想讓丈夫知道。」

長頸鹿：「哎不是，白星你這個推測也太複雜，是電影看太多喔？」

白星：「凡事都要抱持懷疑的態度，況且之前我們也覺得米栗他哥的丈夫很可疑啊！什麼都知道的情況下幹嘛還委託生前調查？」

無糖臺南人：「這麼說也是啦，不過我覺得事情發展到現在，這位丈夫幾乎擺脫嫌疑了……」

初一吃素：「米栗哥哥留了個謎題給我們解，真的好妙。」

特價五折：「我覺得他可能想不到會有這麼多人一起解謎吧。話說為什麼你們上課時間都可以留言？」

白星：「有技巧的，看來我們的室長無法加入。」

這群人顯然都在上課時間偷偷使用手機，而且相當有經驗。

跳過一大段的閒聊後，走路靠右加入，順利將討論導回正題上。

走路靠右：「嚇我一跳，以為發生什麼事白天就這麼多留言。好啦，我這邊覺得要請米栗好好整理一下收送過的禮物列表，米栗有說還沒全想起來對吧？」

長頸鹿：「米栗只大略寫了幾種，手寫卡片、筆記本、文具、便宜的星座項鍊。」

阿團：「這些的確沒有一樣跟鎖有關，所以我們也只能從大方向推測。」

木可可：「有沒有可能是裝滿重要物品的保險箱之類……？」

白星：「木可可你也跟白星一樣想要發大財嗎？也覺得米栗哥哥留下大筆遺產。」

木可可：「並不是，謝謝！我認為是意義上的價值，不見得是金錢上的高價物品。」

接著大家又開始往任何可以上鎖的物品討論。保險箱、腳踏車大鎖、公用置物櫃等等，眾人為了讓米栗有參考的方向，幾乎把所有可以上鎖的東西全列舉了一遍。

米栗看完全部的留言後，整理思緒一番才回覆群組。

米栗：「謝謝大家踴躍討論，雖然我更好奇你們怎麼都在上課時間使用手機。我剛剛看過所有內容想到一個可能性，等今天放學後與哥哥老公見面，我再跟他確認。」

米粟送出這則留言後，所有成員紛紛回應希望他能調查順利，並期待得到好消息。

當然吳梓弄也全程旁觀這次討論，一如往常當個潛水員把重點記下來，他也很在意米粟所說的方向是什麼。

吳梓弄下午沒課，早早就在自家飯館門口等米粟回家。

「這是專門等我的意思……？」米粟抓緊書包肩帶問道。

「當然，我實在太好奇你說的調查方向，下午上課都在分心。」吳梓弄手裡拎著兩個便當，應該是他們兩人的晚餐。

「你今天不用幫忙飯館的生意嗎？」米粟看著才剛開始營業的家家飯館，每道堆得老高的菜都才剛放上桌子，色澤好看各種香味交錯。

「不用，而且我已經幫你跟羅勳丞約好見面，他六點半到家，我們可以直接去找他。」吳梓弄將便當遞到米粟面前，貼心地說道。

「這是要先吃飽再過去？」米粟無法拒絕，接過那有點沉的便當袋，不敢想像今天晚餐的份量。

「好啦快跟我說，你想到了什麼？」吳梓弄催促著他。

「我想起哥哥很久以前有個藏寶箱造型的存錢桶，是我參加幼兒園才藝表演比賽得到的獎品，覺得用不到就送給哥哥。不過不確定有沒有留著，目前看過的遺物裡面並沒有這樣東西。」

米栗歪頭沉思，這是他目前唯一想得到最接近鎖頭的線索，可是過於久遠沒有把握。

「總之我們等一下問問羅動丞吧。」吳梓弄拍拍他的肩膀輕聲說道。

第十九章

# 意料之外的委託人（九）

米粟和吳梓弄再次與羅勳丞見面，三人之間已經幾乎沒有芥蒂，相處起來相當熟悉了。

羅勳丞依然為他們準備些小點心和飲料，本來還熱情地想招待他們吃晚餐，不過米粟在出發前就被吳梓弄盯著吃過晚餐，所以只能婉拒。

「你們動作真快，馬上就有方向了嗎？」羅勳丞已經換上居家服，臉上浮現一絲期待的情緒。

「我想知道是不是還有其他沒讓我看過的遺物。」

米粟看著桌上精緻的小點心沒有絲毫食欲，但身旁的吳梓弄似乎不受才吃過晚餐的影響，一邊幫忙記錄還不忘抓些小點心吃。

「阿泉留下的遺物不少，你想找哪方面的？」羅勳丞也跟著吃起小點心，甚至還和吳梓弄開始閒聊哪款比較好吃。

「我以前送哥哥的生日禮物有留著嗎？」

「我想想……記得我們房間裡有一箱類似的東西，等一下喔。」羅勳丞很快起身行動，沒幾分鐘就抱著一個約三十公分寬的紙箱回到客廳。

羅勳丞將紙箱放到茶几上，卻雙手壓住箱子開口，對吳梓弄與米粟露出欲言又止的模樣，反常的舉動很難讓人不在意。

「怎麼了嗎？」米粟不安地問道，不禁猜測起箱子內是不是有不可告人的奇異物品。

「我只是在想該用什麼開場白比較好，有種終於可以坦白的激動。」羅勳丞的回答讓兩人摸不著頭緒，同時歪頭望著他。

「阿泉真的很頑皮，人走了還留下任務要我執行。自從跟你們見面，我一直煩惱是否要據實以告，可是我答應過阿泉，要按照他的遺言進行。」

米粟看羅勳丞幾分苦惱又幾分開心的樣子，微張開嘴摸不著頭緒。

「終於被你推理到這一步了。」羅勳丞打開紙箱，將裡頭的東西全拿出來。

米粟看到小時候送給哥哥的手寫卡片、文具、飾品一一出現在眼前，很明顯哥哥將他送的禮物全部集中妥善收藏了起來。

最後出現的就是米粟想找的藏寶箱造型存錢桶。

「是這個對吧？」吳梓弄看著已經生鏽斑駁的鐵製藏寶箱。

「而且扣著一模一樣的鎖頭……」米粟小心翼翼地觀察。

「阿泉說總有一天要交給你，可是不能直接給，想留個遊戲給你玩。」羅勳丞謹慎地將藏寶箱放到米粟手上。

三個人就這樣盯著老舊的藏寶箱好一會，米粟拿起扣在上頭的密碼鎖，上面三個號碼目前是亂數狀態，他反覆撫摸轉動密碼的位置陷入沉思。

「得想辦法打開這個盒子。」

「依照之前的提示，密碼應該跟你生日有關吧？」吳梓弄好奇問道。

米粟將密碼轉至九二二，卻無法開鎖，三人不禁異口同聲嘆息。

「不是你的生日？這樣的話密碼是什麼？」吳梓弄困惑地抬頭看向羅勳丞，希望對方能透露點提示。

羅勳丞隨即搖搖手說：「我不知道密碼，阿泉沒留下答案。」

「連你都不知道啊，這下麻煩了。」吳梓弄對米粟問道：「你有想法嗎？」

「哥哥應該不會出太困難的謎題，之前的號碼鎖是我的生日，存錢桶是我送他的生日禮物……密碼可能跟哥哥的生日有關。」

米粟看他們一眼，不太確定地將數字轉動成李彤泉的生日，可惜依舊無法將鎖解開，「六一八也不對，不是哥哥的生日。」

「不是生日日期，可是線索都指向跟生日有關，的確該往這個方向猜測。」

話說回來你跟形泉學長還真像，喜歡搞這種要解謎的東西，想當初我為了進生前調查室群組，光是破解密碼就幾乎花了整晚。」

吳梓弄想起最初的回憶感嘆道。

「我設的密碼又不難，而且只是方便記憶用的，新成員加入時會事先給密碼啦。」

「既然這樣你當初為什麼不給，還要我像偵探一樣猜半天。」吳梓弄聽到米栗的解釋，這下更難以服氣，雙手環胸質問。

「那是因為……」米栗支支吾吾好一會。

當初被吳梓弄發現生前調查室，米栗第一個反應是不想讓他知道太多，尤其吳梓弄質疑的態度令米栗無法信任。

沒有想到他後來成為很大的助力，主動幫忙訪談，藉由自己的人脈連絡到訪談對象，甚至還認識李形泉，讓米栗得以發現無意間加入了哥哥創立的社團。

如果沒有這種種令人感激的巧合，米栗永遠不會有機會知道這些事情。

「因為什麼？」吳梓弄見米栗遲疑許久，表情越來越狐疑。

「當時你對我來說是不相干的人，這些麻煩能免則免，覺得你一直解不開密碼的話，時間久了就不會想干涉了吧……」

米粟說話的速度越來越慢，一臉心虛地盯著吳梓弄眉頭越發皺緊的臉，之前的誤解是不爭的事實，事到如今不如坦白還比較好。

最終整個客廳陷入一片寂靜，就在夾在中間的羅勳丞準備出聲想緩和氣氛時，吳梓弄突然用力搭上米粟的肩膀，表情仍舊不太好看。

米粟感覺肩膀傳來一陣刺痛，羅勳丞起身想拉開他們彼此，卻被吳梓弄制止，「羅先生不用擔心。」

吳梓弄強迫米粟與自己四目相對。

「真是的，聽你坦白還是很氣，不過事情已經過去了，我只慶幸當初鍥而不捨推測密碼，不然就會錯過一些很重要的緣分，包括形泉學長常常掛在嘴邊的弟弟原來就是你。」

「嗯……」米粟無法轉頭，只能移動視線避開吳梓弄的目光。

「好啦，再這樣下去會吵架，現在解開形泉學長留的謎題優先，抱歉嚇到你了。」吳梓弄語氣比剛才溫和許多，輕拍米粟的肩膀後收回手。

「謝了。」米粟瞄向吳梓弄的眼神依然帶著幾分尷尬。

吳梓弄看米栗再度盯著藏寶箱上的密碼鎖，低聲問道：「現在有想法了嗎？」

「剛剛想到一個可能性，就是把我跟哥哥的生日相減。」

「你認為可能是九二二減六一八？」

「因為相加的話超過三位數，而且哥哥應該不會出太困難的謎題，所以我決定把事情想簡單點。」

米栗不太有把握地朝兩人笑了笑，在他們的注視下慢慢將數字轉到剛才算出來的答案。

「三，零，二……」他就像在祈禱般，轉動好一個數字就念出聲，就在說出第三個號碼後，他們清楚聽到鎖頭傳來清脆的解鎖聲音。

米栗看密碼鎖順利被解開，確實鬆了口氣。

「從沒想過開鎖的聲音這麼悅耳。」目睹一切的吳梓弄不禁感嘆。

「幸好有解開，還在想是不是要找鎖匠幫忙了。」羅勳丞笑著說道。

「就算有現成方法可以破解密碼鎖，我還是想靠自己找到答案，畢竟這是哥哥留給我的禮物。」

米栗捧著開鎖的藏寶箱卻沒有立刻打開，像是在沉澱心情輕輕撫摸箱子邊緣。

「阿泉其實滿喜歡解謎的，生前很愛這類作品，以前身體狀況允許的時候還會去體驗密室脫逃遊戲。不過我覺得他在這塊沒什麼天分，常常解不出來要我幫忙。」

羅勳丞擺出想笑又不敢笑的表情，最後伸手擋住嘴輕咳好幾聲才壓下，漸漸轉為溫柔思念著對方的模樣。

「我不能笑得太過分，這個藏寶箱謎題大概是他盡全力設計之作，又不想讓你解不出來，結果給一堆簡直把答案都寫出來程度的提示。」

他看著米栗手裡的藏寶箱良久，深感不可思議地搖搖頭說道。

「一開始他說想留下這些東西希望我轉交，要你慢慢解開這份禮物時，我其實非常苦惱，想不到適合的方式聯繫你。以前旁敲側擊下發現阿泉與爸爸那邊的親戚就像是陌生人一樣，沒有任何交集也沒有連絡方式。

雖然在阿泉留下的手機裡找到你的號碼，但問題是我該怎麼表明來意還有身分。這一猶豫又過了很久，幸好碰巧認識的阿戴輾轉告訴我生前調查的資訊，沒想到你就是阿泉的弟弟，終於可以把禮物給你了。」

米栗抱著藏寶盒，這個以前被用來當作存錢桶的小箱子寬度大約二十公分左右，他輕輕搖晃盒子，沒有聽到細碎的聲音，而是重物撞擊的悶聲。

「這些是哥哥過世前拜託你的嗎？」

米栗暗自算著時間，從哥哥過世直到現在轉到他手中也才過了三年多，他不禁想著如果當初沒有成立生前調查室的話，不知道還要拖多久，甚至永遠沒機會知道這些事。

「我在他過世滿一年後才知道有這些東西。」

羅勳丞此話一出，換來兩人困惑的目光，他為難地看著他們回答。

「他當初只說有個封存好的紙箱，約定如果他過世的話，就等滿一週年忌那天再打開來。雖然當時心裡已經有底他恐怕活不久了，可是真的聽他親口交代這些事情的時候實在非常難受。」

羅勳丞似乎再也說不下去了，抿著嘴皺眉閉起眼，在米栗與吳梓弄面前第一次洩漏難以克制的情緒。

儘管來得快去得也快，他馬上又恢復先前鎮定的樣子，但發紅的眼角卻騙不了人。

米栗很習慣這種場面，只是等著對方調整好心情。

「你要現在打開嗎？」羅動丞輕聲問道。

「我們一起看看他到底留了什麼東西。」米栗為了能讓大家看清楚，將藏寶箱放在茶几中央，先是用眼神向所有人示意後，忐忑地碰觸藏寶箱的蓋子，慢慢打開上蓋。

盒子內部也有些生鏽的痕跡，三人同時探頭往裡看，就看見之前遍尋不著的那本日記穩穩地躺在箱子內。

淺藍色的外皮，有明顯頻繁翻開的痕跡，右下角還微微翹起，封面圖案是隻咖啡色小熊抱著一朵花，最下方有個署名位置，上頭只寫了個「泉」字。

「原來哥哥特地藏在這裡。」米栗小心拿起日記，有個以塑膠套密封的扁型方塊掉了出來，拿起仔細看發現是張記憶卡。

米栗一下子就明白，記憶卡裡一定有哥哥留給他的重要東西，為此突然有種這塊小小記憶卡有點熱燙的錯覺，甚至不安地問自己有勇氣打開來看嗎。

「幸好有交到你手上，以阿泉的性格一定留了難忘的禮物。」

羅動丞看著米栗手上的東西輕聲說道，他察覺米栗雙手微微顫抖，馬上握住米栗的手安撫。

「你帶回去慢慢看吧，這次委託應該到這裡就是尾聲了。」

羅動丞邊說邊將藏寶箱推到米栗面前，「至於這本日記跟記憶卡的內容可以不用記錄下來，畢竟是阿泉要送給你的禮物。」

米栗將日記與記憶卡放回藏寶箱裡，對他點頭說：「按照生前調查室的程序，會把訪談內容整理成冊給你，預計一週後送過來。」

米栗抱著已經解開的藏寶箱回到住處。

吳梓弄把車停妥，將米栗遞過來的安全帽收好，漫不經心地說道：「已經快十二點，我就直接回房間睡覺了。」

這個回答讓米栗感到有些意外地問：「你不上來嗎？」

吳梓弄情緒複雜地看他一眼說道：「那是學長留給你的東西，我不方便在場，你看完有想跟我說的再說，如果什麼都不想說也沒關係。」

米栗瞬間就明白吳梓弄的用意，這也是與這位宛如兄長的鄰居相處久了之後，越來越自在的原因。

認識得越久就越能注意到，吳梓弄除了對自己人特別照顧到有點煩以外，還非常會察言觀色，適時給予彼此一點空間，例如現在。

「謝謝。」米栗笑著道謝，下意識抱緊手中的東西。

「你先上樓休息吧，晚安。」吳梓弄朝他擺手示意。

米栗走沒幾步後突然轉過身，朝還在整理身上衣物的吳梓弄揮揮手。

「梓弄哥，這陣子真的很謝謝你幫忙，但不要再逼我吃超量的晚餐了，我明天想吃花枝丸！」

米栗喊完後不等回應就往屋內跑，留下錯愕的吳梓弄。

吳梓弄過了好幾秒才回過神，低頭悶聲笑個不停。

「什麼啊這傢伙，突然來這招……形泉學長，你弟真的很有趣，雖然我對這種不科學的事半信半疑，但如果真是你冥冥之中安排，希望我幫忙照顧米栗，我就樂意接受了。」

米栗回到房間後並沒有立刻打開那本日記，而是先洗澡換上舒服的睡衣，將屋內燈光全關掉，只留下床邊的小檯燈照明。

他身後靠著枕頭，以半坐半躺的姿勢盯著懷中的藏寶箱許久，又看看旁邊桌上的筆電與讀卡機。

「沒想到在這一刻猶豫了，該先看記憶卡的內容還是日記？」

米栗就這樣來回看著這兩樣東西，猶豫再三後抱持先閱讀文字或許衝擊比較小的心態，慢慢拿起日記本翻開。

撰寫的時間落在李彤泉國高中階段，對米栗來說這是從沒見過的樣子，哥哥有時像個小孩鬧脾氣，有時候又像個小大人吐露煩惱，這些都是他人無法窺知的部分。

這本被特意藏起來的日記，記載他從宋彤泉變成李彤泉後不久的事，米栗在哥哥這段人生裡似乎成了支撐與慰藉。

從第一頁開始，米栗進入了李彤泉曾經度過的青春期。

搬離宋家快滿一個月，雖然很捨不得弟弟，但我已經無法繼續與阿姨跟爸爸一起生活。

最近輾轉聽說弟弟很想我，三天兩頭就問我在哪裡，感覺有點對不起他，下次找時間帶他去遊樂園玩好了。

羅動丞這傢伙不差，可是每次都像是看透我的想法一樣，覺得有點恐怖。

今天為了錢跟媽媽起爭執，當初選擇跟爸爸生活，就是不想讓媽媽有太多負擔。

這樣一吵完全沒心情上學但又不能蹺課，放學之後打算找個沒人的地方整理心情，沒想到遇到要去打工的羅動丞。

我們已經有好一段時間沒見面，他還是一樣到處打工想辦法養活自己。

最近失眠的狀況特別明顯，該怎麼辦才好呢？

只要靜下來就會想到家裡的事，對未來很不安，尤其決定跟媽媽生活後，又擔心成為媽媽的負擔。

我們家真窮啊，窮到有時候連水電費都要跟舅舅借，這樣還想買遊戲機好像太奢侈，但我真的好想要。

最近看到羅勳丞有點心動，明明只大我一歲，我國二他國三也只差一個年級而已，為什麼差這麼多？

覺得他做事很有自己的想法，就連我現在的短期工讀都是他幫忙介紹的。時薪一百塊一天做兩個小時，每天就有兩百塊的收入，對現在的我來說是很大一筆錢，而且滷味攤老闆人很好，下班離開時都會送我滷料當晚餐，不過打工的事暫時還不想讓媽媽知道。

要怎麼做才能讓羅勳丞知道我的心意呢？

男生喜歡男生有點……怎麼說，尷尬。

萬一說出口他會不會被我嚇跑？

可是我覺得有點離不開羅勳丞了。前天偷偷跟爸爸見面吃飯被媽媽發現，跟媽媽吵一整晚，隔天在學校本來想躲在老地方調整心情，沒想到越想越委屈就哭了出來。

最羞恥的是羅動丞居然剛好經過，他人真好，把肩膀借我讓我哭個夠。

結果我們一起翹掉那堂課被老師罵了，哈哈。

我問羅動丞為什麼老是到處找打工，為什麼不跟爸媽談談，被他反問我為什麼不也跟爸媽談談？

早知道就不問了，我們兩個都知道談了也沒用，只能想辦法自己過下去。

現在我每天都可以在滷味攤賺到兩百塊，已經覺得很滿足了。

怎麼辦啊，我好像越來越喜歡羅動丞了。

難過，羅動丞畢業了，在學校內沒有一起吃午餐的伙伴了。

跟羅動丞聊到弟弟，說很想弟弟想去看看他，才發現我從沒跟他說過米栗的事。

他說想見就見，為什麼要這麼掙扎。

這是我第一次跟他說關於米栗，還有爸媽發生的事。

羅動丞似乎懂了我掙扎的原因，沒有再多說什麼，這種被立刻明白心情的狀況，有點讓人想逃避。

我還是很想見見米栗，剛好打工存到一點錢，想帶他去遊樂園玩。

羅動丞真的很會想方法哎！

假借多買了一張遊樂園門票的名義，說服爸爸讓我單獨帶米栗去遊樂園玩，而且趁週末還可以在遊樂園附設的旅館過夜。

好一段時間沒看到米栗了真想他。

還好有羅動丞的家可以躲，雖然他租的地方很小只夠一個人起居，但樂意讓我經常去避難。

我只是想帶弟弟去遊樂園玩，卻被媽媽大罵不孝，我知道你們大人之間的問題，可是我認為不該把米栗扯進來。

可以跟米栗一起去遊樂園玩了，不知道爸爸怎麼跟媽媽溝通，讓媽媽願意放行。

可是我還是在出發前一天跟媽媽起了衝突，能不能別再這樣呢？

跟米栗順利去遊樂園兩天一夜玩回來了，可惜羅動丞突然有事情不能一起。

說是單獨其實是爸爸出錢幫我們訂房間，他們在附近景點遊玩，結束後過來接米栗回家。

這樣只讓我跟米栗一起玩的方式挺好的，大概是目前最美好的回憶。米栗真乖，好好帶也不太吵鬧，反而希望他對我多一點要求。

送米栗跟爸爸會合時他意識到要分開就哭了出來，別哭啦，這樣我很難過。

這幾天睡覺都夢見帶米栗去遊樂園玩的事情，不知道他下次想去哪裡，問看看好了。

記得他生日快到了，趁機會當作生日禮物也不錯。

離家出走的事情鬧真大，媽媽居然為此打到爸爸家問我的行蹤，我不想把事情鬧這麼大啊！

一個衝動對羅動丞告白。

要說衝動，不如說是不快點可能沒機會了，自從知道他打工的飲料店有個妹妹跟他走很近，我就開始擔心。

最近又聽羅動丞說妹妹對他很好，常常送他小點心之類的，這種跡象太明顯，我在旁邊暗示妹妹可能喜歡他，他還不信，結果收到對方的情書！

所以在他還沒回覆妹妹之前，我先衝動說出口了。

羅動丞說要想想再答覆，現在已經過了一個晚上，好緊張。

動丞說他願意跟我交往！好開心啊！

從今天起我也是有男朋友的人了。

最近的煩惱說大不大說小不小，就是該怎麼讓米栗知道我的近況呢。

他至今還沒跟動丞見過面，是不是該找個機會互相介紹一下？

我更擔心的是米栗年紀還小，能夠理解這是什麼狀況嗎？

被動丞嘲笑說什麼時代的人還在手寫日記，明明有帳號為什麼不放在網路上？

我寫日記又不是要給大家看的，而且一更新動態就會被朋友全看到，風險太大了，我不要被看光光！

我覺得米栗的暱稱很可愛啊，而且他也很喜歡，看到他自己設的帳號暱稱也是米栗就覺得心情好。

早知道就不讓動丞知道這個暱稱的由來，居然被他說很隨便，只因為弟弟名字有個「米」字就亂取，好歹也取個安德烈之類的，他的提議也沒好到哪裡去。

而且我才不是亂取，我叫麥力，弟弟叫米栗很順口啊！

不過如果能讓動丞認識弟弟該有多好，感覺他應該對米栗也不會太差。

想找一天很正式向米栗介紹動丞是我男友，等做好心理準備那天，一定親口跟他說。

米栗看到這裡忍不住停下並將日記闔上，悲傷地抱住日記本，努力不讓自己哭出來。

少年時期的李彤泉有很多煩惱，也有著米栗不知道的可愛孩子氣，明明是這麼生動迷人的好哥哥——

「結果你還沒做好心理準備就走了……」米栗相當失落。

去遊樂園的回憶有點遙遠，只記得哥哥帶他玩遍中部某個遊樂園設施，其餘細節已經模糊，可是那時的快樂米栗至今仍深刻記得。

他小心翼翼懷抱日記，鬱悶地躲進被子裡，最終還是憋不住眼淚。哽咽與壓抑的哭聲在房間迴盪，儘管這裡只有自己一人，他還是不想發出聲音。

「李彤泉你真笨，直接跟我說又不會怎樣……」

米粟難受地翻來覆去，就這樣心情低落哭著睡著了。

或許睡前接觸太多哥哥的回憶，米粟夢見哥哥帶他去遊樂園的事。

夢裡他背著媽媽準備的背包出門，爸爸開車送他到遊樂園門口，哥哥早就在那裡等著。

那時的李彤泉在米粟眼中是個又高又帥氣的哥哥，溫柔牽著他的手一起走進遊樂園裡，週末入園的遊客很多，李彤泉怕走散緊抓他的手不放。

「哥哥，我們第一個要玩什麼？我想坐雲霄飛車。」米粟興奮地左右張望，對每項遊樂器材都很感興趣，繽紛的色彩讓他覺得眼花繚亂。

「你還小不能坐雲霄飛車，我們去玩旋轉木馬。」李彤泉帶著他去排隊，旋轉木馬的隊伍排得特別長。

「可是哥哥之前不是說很想坐坐看嗎？」米粟乖乖跟著排隊，聽到遠處雲霄飛車呼嘯而過伴隨著人們的尖叫。

「沒關係，等你長大點我們再一起搭。」李彤泉拿出收在口袋裡的園區導覽圖，仔細研究著上頭的介紹，將所有米粟可以搭乘的設施記住。

「我們今天真的可以在這裡過夜？」米栗看著周遭動靜，好奇地問道。

「爸爸都幫我們安排好了。」

「那你明天會跟我們一起回家嗎？」米栗依然不懂為什麼哥哥搬出去住，每天都期待著他能回來。

「不行喔。」李彤泉望著他苦笑搖頭。

米栗相當不解，原本興奮的心情染上一絲遺憾，抓緊哥哥的手問道：「為什麼？爸爸不讓你回去嗎？我可以跟他說……」

「不是爸爸的問題，是我不能回去了。」李彤泉握著他的手，思考該怎麼解釋比較好。米栗皺著眉，抓住他手的力道越來越大。

「因為我已經不是宋家的孩子了。」

「可是我們的爸爸不是同一個嗎？只是媽媽不一樣而已，你是我的哥哥啊。」對米栗來說要理解這一切實在太困難。

他的提問大概也問倒李彤泉了，李彤泉有好長一段時間沒有說話，靜靜地看著前方，緊抓米栗的手，「等以後你長大就會明白了。」

「又要等長大啊，為什麼每件事都要等長大以後呢？」米栗垮下肩膀鬱悶地問道。

「可能有些事情要等到長大才能找到答案吧？到時候哥哥再跟你說。」

「好。」米栗答應，期待著「長大」的那一刻來臨。

就在米栗還想跟哥哥說點什麼時，突然發現李彤泉的手漸漸鬆開，身影開始變得透明，米栗伸手往前抓卻落空，哥哥的身影也越來越遠。

「哥哥，我抓不住你了，別放手。」

「米栗抱歉，我不能待在這裡了。」遠處的李彤泉帶著寂寞的表情說道。

「我們不是說好要一起搭旋轉木馬嗎？還沒……」

米栗慌張往前跑，當好不容易快抓到哥哥的手時，整個人突然撲空還失速往下墜。

米栗猛然睜眼，滿頭大汗盯著昏黃的天花板許久，神智慢慢回籠才意識到剛才全都是夢，伸手摸摸發痠的眼皮，發現自己在睡夢中也哭了。

「好難受，好久沒夢到哥哥了……」

米栗動也不動躺在床上許久，轉頭看向時鐘，才注意到現在是清晨四點，距離預定起床還有一段時間，他卻已經毫無睡意。

坐起身看著睡前放好的筆電與記憶卡，米栗整個人像定住一樣無法動彈。

他猶豫許久，拿起記憶卡仔細端詳一會後，終於下定決心往讀卡機插。

「看看哥哥留了什麼給我吧……」

# 第二十章

# 意料之外的委託人（十）

筆電讀取到一個影片檔，檔名寫著「給米栗」，存檔日期則標示李形泉過世幾天前。

光想著那是李形泉還在這個世上的時空，米栗便猶豫好一會才移動滑鼠點開影片，但在影片的秒數開始跑時又立刻按下暫停鍵。

「還沒做好心理準備，深呼吸……」

米栗吸氣呼氣好幾次，又過了好一陣子才下決定點下開始鍵。

影片一開始是全黑畫面，接著就看見李形泉以自拍角度一臉困惑地盯著手機鏡頭，經過多次化療明顯消瘦的病容令人心疼。

米栗看到這一幕，整顆心臟像被緊緊揪住一樣疼痛。

**「這樣應該可以拍進去。」**

李形泉將手機放下，鏡頭變成由下往上照的角度，應該是放在他面前的手機架上。

確定一切都就位後，他左右確認了一眼，有些緊張地搓搓雙手對畫面說。

**「動丞應該已經出門幫我買豆花了，他還會晃一下，有三十分鐘的時間。」**

他說完又湊近鏡頭，瞇眼看著下方低語。

**「啊，已經開始錄了吧？到現在都還沒摸熟這支手機的功能。」**

李彤泉終於坐正身子看著前方，像是與米栗隔著畫面對視，讓正在觀看的米栗肩膀一縮，眼睛痠澀到差點哭出來。

**「米栗，你好啊。」**

李彤泉很努力不讓自己感覺太彆扭，對鏡頭揮揮手，接著不知所措地對著鏡頭傻笑許久。

**「趁他不在我才敢錄，不然他一定會在旁邊看……啊，我說的是勳丞，我的老公，我結婚了。」**

李彤泉像是突然說不下去般，雙手掩住臉面紅耳赤的哎哎叫許久，他的臉色紅潤一些也好看許多。

他很快讓自己振作，輕咳幾聲才恢復鎮定繼續說。

**「我最近被他說服，過幾天想跟你見見面，跟你說我們的事，我已經做好心理準備了。至於現在，我覺得有些話得趁記得，先錄下來跟你說才行。**

**「我最近狀況沒有很好，體力負荷不了，很多時候都在睡覺，感覺時間剩下不多了。如果勳丞聽到我說這個，一定會要我不要亂講。**

「這傢伙一直在逃避我狀況越來越差的事實，可是這樣對我來說又像是安慰，他常說下次要帶我們兄弟去澎湖玩、去爬山、去露營。明知道他在說些已經不可能辦到的事，可是又覺得說不定真的有那個希望。

「最近你不是說想考上耘高中嗎？我跟勳丞提起這件事，他提議如果到時候你不介意的話，可以過來跟我們一起住，這裡離上耘高中不遠，而且我們可以照顧你。我覺得這個想法很棒，想在下次見面坦白的時候一起說。

「想到可以跟你生活真是期待啊！我們有多間房間要給你，我也很想念小時候跟你一起看電視吃飯的時光。可以想像跟規劃未來的事，突然覺得身體沒那麼不舒服了。」

李彤泉停頓一下，不安地摸摸手，又拿起杯子抿了幾口，原本溫和的微笑漸漸轉變成哀傷的苦笑。

「我真的覺得剩下的時間不多了，每次你打電話來的時候，我都非常認真聽你說話，想記住你的聲音，如果能早幾年想到要跟你一起生活的話就好了。

「一開始聽到宋家出事的時候，我很想把你接過來，畢竟你只剩下我這個家人，可是沒把握媽媽會不會答應。我會試探過，結果媽媽的反應是不想聽到跟你們有關的事，我就沒有繼續追問，如果那時候再堅持一點，說不定這幾年我們就能天天見面了。

「每個人都把我們兄弟視爲敵對關係，可是我從來都不這麼想，你是你、爸媽是爸媽，你又不能選擇父母對吧？你很可愛又很聽話，有時候覺得你過分體諒大人有點令人心疼。這個家裡有很多複雜的因素導致我們聚少離多，眞的很可惜……」

李彤泉再次停頓下來，探頭望向窗外，很快又將視線轉回手機鏡頭。

「這樣好像在交代遺言，不過等你看到的時候確實是這樣……我會交代勳丞幫我收好，然後想個小遊戲，讓你花點時間才能找到這些。可惜看不到你發現這些禮物的過程，等找到之後記得來我的牌位前說說，我應該聽得到。」

李彤泉稍微抬頭困惑地想了一下，不確定地覆誦：「應該吧？」

「還有啊，我很高興有你這個弟弟，每次見到你心情就特別好，可以忘記我們被迫接受的那些指指點點。無論別人怎麼說，你永遠都是我弟弟……連這樣坐著都有點辛苦，等等想睡一下，勳丞應該已經買好豆花要回來了。」

李彤泉大概是累了，中間停頓許久，不斷地喘氣或者伸手撫摸腹部。他說到這裡揉揉眼睛，顯然倦意已經爬上身。

**「米粟。」**

他抓著手機往前靠，整個臉占據整個畫面，充滿情感地溫柔呼喊著弟弟。一直盯著畫面的米粟再次全身一顫，被觸動內心深處。

**「我本來不太相信鬼神這類的事情，不過最近常常想，如果有來生，希望還能跟你當家人……謝謝你。啊，他回來了，就說到這邊。」**

影片就在這裡結束了，總時長是十五分鐘左右。當畫面轉為黑暗後，米粟透過螢幕只能看到自己忍著眼淚，充滿思念感情的臉，就這樣靜靜看著前方。

案零零號在找到藏寶箱存錢桶的一週後正式結案。

米粟與吳梓弄特地挑了羅動丞休假的日子，將厚厚一疊記載李彤泉生前記錄的資料送到他家裡。

「想不到阿泉的事情整理起來這麼多。」

羅動丞慢慢翻著資料夾，裡面有照片也有文字記錄，是件想念對方時隨時都能拿出來回味的禮物。

「藉由這次委託，我才有機會知道哥哥的過去，實在很感激你。」

米粟的目光跟著那些資料不放，吳梓弄亦同。他猶豫了一下，對羅勳丞充滿歉意地說道：「我沒有歸還那個藏寶箱內的東西……」

「那是阿泉留給你的禮物，就收著吧。」

羅勳丞朝米粟露出一抹微笑，翻到吳梓弄與李彤泉的記錄，看著那張李彤泉在臺上唱歌的照片，覺得很新鮮笑個不停。

「阿泉真的有上臺唱歌啊？聽他說的時候以為是在開玩笑。」

「他真的有唱，可惜當初沒想到要錄影，不然就可以留存記錄了。」吳梓弄嘆息。

羅勳丞又翻看了好幾頁記錄，低聲說：

「阿泉過世前一天晚上，我們一起躺在床上手牽手聊天，他那天話特別多，聊到我們認識的過程，聊到你們，聊到他的高中生活，說了很多很多。後來他說到小時候會唱歌哄弟弟睡覺，我說沒聽過他唱歌，只知道他待過搖滾音樂社，想聽他唱。他很勉強地唱了〈小星星〉，那是唯一一次，嗓音真的很好聽，我從來不知道他唱歌這麼好聽……

隔天中午，他沒撐過去。我邊哭邊想幸好有聽他唱歌，可是更難過的是再也聽不到了。一開始我很沒有真實感，他看起來就像只是睡著一樣，可是慢慢意識到他再也不會睜開眼，再也不會要我去幫他買豆花，再也不會罵我洗衣服都不好好分類，他真的走了的事實就越來越清晰。」

羅動丞說著聲音開始微微顫抖。米粟看著他，感到有些意外。

本以為遊刃有餘、從容又理智的羅動丞就這樣哭了出來，積累許久的思念在這一刻全化為淚水靜靜落下。

米粟與吳梓弄就這樣陪著他看完資料，等羅動丞平復心情後才互相道別。

「居然這麼晚了。」吳梓弄騎著車，望向前方襯著夜色的街景喊道。

「今天好像是十五，月亮好圓。」米粟仰頭看天上的明月看得相當入迷。

「下一件委託確定了嗎？」吹著夜風很舒服，吳梓弄不知不覺放慢速度，與米粟聊了起來。

「資料已經準備好了，明天會跟大家說明。」

「太好了，千萬不要調查完哥哥的事情就解散生前調查室。」吳梓弄輕笑說道。

「才不會，生前調查室會繼續運作。」

「繼續運作吧，我喜歡你成立這個社團的初衷，雖然沒參與到成立，但這些體驗讓我感觸良多。」

米粟聽著吳梓弄說話，將頭輕輕貼著他的背，有好一段時間沒有反應。直到紅燈停下來時，吳梓弄才隱約聽見米粟啜泣，聲音非常小顯然不想被察覺。

吳梓弄就這樣盯著前方的交通號誌，決定什麼都不說當作沒聽見，讓對方靜靜哭泣。過一陣子他發現米粟再次抬起頭，雖然正在騎車無法確認，但可以猜到米粟已經平復心情了。

打烊拉下鐵門的家家飯館離他們越來越近，吳梓弄想著等一下要好好睡一覺，開口說道：「我好想形泉學長……」

米粟吸吸鼻子，帶著掩不住的鼻音低聲回道：「我也是……」

——《生前調查報告：放學後特別社課．下》完

——《生前調查報告：放學後特別社課》全系列完

# 後記

首先，先謝謝看到這裡的你。

你好，我是瀝青。

關於這次的題材，要先由衷感謝編輯願意採納。

這個故事的起點，其實是在一個有點悲傷場合萌生。

一個很親近的人過世後，照著臺灣的習俗為他籌備喪禮時。

於是與這位親友有不同程度關連的人們，有機會團聚在一起，為他折紙蓮花，聊起關於他的一切。

那時候，我偶爾靜靜地聽，偶爾加入話題。

那個場合裡，有他的朋友、他的家人、他的親密伴侶、他的後輩、他職場上的前輩、學生時期的朋友……等等。

每個人都在聊有關於他的回憶，每個人都露出想念他的表情。

我才發現他原來留下這麼多有趣的事情。

因為往來的身分不一樣，每一段回憶都讓人很出乎意料，原來他有這一面。

在那個當下，我覺得好像在拼拼圖一樣，這裡湊一點、那裡湊一點，然後加深對那位親友的想念。

這個經驗，就成了生前調查室的起點。
跟著米栗一起追尋故事中每一個人的回憶，也是這個故事的主軸。
很高興這個故事可以完成，也希望你會喜歡這個故事，感謝。

瀝青

高寶書版集團
gobooks.com.tw

輕世代 FW394
生前調查報告：放學後特別社課．下

作　　者　瀝　青
繪　　者　吉　茶
編　　輯　薛怡冠
美術設計　Benben
排　　版　彭立瑋
企　　劃　李欣霓

發 行 人　朱凱蕾
出　　版　三日月書版股份有限公司
　　　　　Printed in Taiwan
地　　址　臺北市內湖區洲子街88號3樓
網　　址　www.gobooks.com.tw
電　　話　(02) 27992788
電　　郵　readers@gobooks.com.tw（讀者服務部）
傳　　真　出版部　(02) 27990909　行銷部 (02) 27993088
郵政劃撥　50404557
戶　　名　英屬維京群島商高寶國際有限公司台灣分公司
發　　行　英屬維京群島商高寶國際有限公司台灣分公司
　　　　　Global Group Holdings, Ltd.
初版日期　2023年5月

國家圖書館出版品預行編目(CIP)資料

生前調查報告：放學後特別社課/瀝青著.-- 初版. -- 臺北市：三日月書版股份有限公司出版：英屬維京群島高寶國際有限公司臺灣分公司發行, 2023.05-
面；　公分. --

ISBN 978-626-7152-67-6(上冊：平裝). --
ISBN 978-626-7152-68-3(下冊：平裝)

863.57　　112003362

三日月書版

三日月書版

GOBOOKS
& SITAK
GROUP©

GOBOOKS
& SITAK
GROUP©